INTERPRETATIONEN DEUTSCH

MAX FRISCH
Homo Faber

Interpretiert von
Juliane Lachner

STARK

ISBN 978-3-89449-441-4

© 2011 by Stark Verlagsgesellschaft mbH & Co. KG
www.stark-verlag.de
1. Auflage 1999

Inhalt

Autorin: Juliane Lachner

Vorwort

Liebe Schülerin, lieber Schüler,

Max Frischs Buch *Homo faber* ist ein moderner Klassiker des Deutschunterrichts. Der Roman ist der **Rechenschaftsbericht** eines Menschen, der glaubt, dass er die Dinge nüchtern sieht und sein Leben im Griff hat, und der doch allmählich erkennen muss, dass dies ein folgenschwerer Irrtum ist.

Diese Interpretationshilfe soll Ihnen helfen, Max Frischs Buch genauer zu verstehen. Sie beginnt mit einer knappen Information zu **Leben und Werk von Max Frisch**. Darauf folgt eine zusammenfassende **Inhaltsangabe** des Romans.

Das dritte Kapitel enthält die *Textanalyse und Interpretation*. Hier wird zunächst die Komposition des Romans beleuchtet (**Aufbau und Textstruktur**). Es folgen ausführliche **Figurencharakteristiken**, die durch relevante Textzitate inhaltlich belegt werden. Der nächste Abschnitt untersucht **zentrale Aspekte und Motive** des Textes und hier vor allem die zahlreichen Anspielungen auf die antike Mythologie. Auf der Grundlage der jeweils notwendigen Hintergrundinformation erschließt sich so eine Tiefenschicht des Buches, die beim ersten Lesen nicht sonderlich ins Auge fällt und die doch für das gründliche Verständnis des Romans von großer Bedeutung ist. Ein eigener Abschnitt widmet sich der **Sprache** des Erzählers. Die **Interpretation zweier Schlüsselstellen** lädt zum genauen Lesen ein.

Im letzten Kapitel wird die **Wirkungsgeschichte** des Romans skizziert. Die abschließenden **Literaturhinweise** führen besonders nützliche Veröffentlichungen zu Max Frisch und zu *Homo faber* auf.

Juliane Lackner

Einführung

In einer berühmten Passage seines *Tagebuch[s] 1946–1949* hat Max Frisch davor gewarnt, wie unheilvoll es sei, sich von anderen Menschen ein Bild zu machen und diese dann mit dem Bild zu identifizieren. Wir selbst sind, heißt es dort, „auf eine heimliche und unentrinnbare Weise verantwortlich für das Gesicht, das sie uns zeigen [...]. Wir halten uns für den Spiegel und ahnen nur selten, wie sehr der andere seinerseits eben der Spiegel unsres erstarrten Menschenbildes ist, unser Erzeugnis, unser Opfer –." (GW, Band 2, S. 371)

In *Homo faber* tritt ein Ich-Erzähler auf, der dazu neigt, sich ein Bild von anderen Menschen zu machen, sie nach stereotypen Mustern wahrzunehmen. Das hat zur Folge, dass er sie verkennt und dass ihm die anderen Menschen auch meist uninteressant erscheinen. Das ändert sich, als Walter Faber seiner Tochter Sabeth begegnet. Sie interessiert ihn zutiefst. Weil er aber auch sie mit seinem Wunschbild von ihr identifiziert, führt diese Begegnung ins Unglück. Auch hier macht er sich die Welt zurecht – fast wider besseres Wissen, denn er ahnt im Grunde, dass Sabeth seine Tochter ist. Er glaubt, als Ingenieur und naturwissenschaftlich geprägter Mensch seine Umwelt nüchtern und objektiv wahrzunehmen. Tatsächlich aber zeigt sich, dass sein technisches Weltbild dem unbewussten Zweck dient, die Dinge eindeutiger erscheinen zu lassen, als sie in Wirklichkeit sind. Auf diese Weise schützt sich der „Homo Faber" vor den Kompliziertheiten zwischenmenschlicher Beziehungen.

Erst spät erkennt Faber, dass er dem Leben bislang ausgewichen ist. Der hohe Preis dieser Einsicht ist der Tod seiner Tochter und das Unglück der von ihm geliebten Frau.

Max Frisch: Leben und Werk

Max Frisch wurde am 15. Mai 1911 in **Zürich** geboren. Seine Eltern waren der Architekt Bruno Frisch und Karolina Bettina Frisch. Seine Mutter hat – im Gegensatz zu seinem Vater – wohl seit frühester Jugend großen Einfluss auf Max Frisch ausgeübt. Sie war vor ihrer Heirat als Gouvernante in Wien, Berlin und Russland tätig gewesen. Dass die Mutter gerade von ihrem Russlandaufenthalt faszinierend erzählen konnte, hat wahrscheinlich

Max Frisch (1911–1991)

entscheidend dazu beigetragen, dass Max Frisch – obwohl er eine gewisse Zeit lang als Architekt dem beruflichen Vorbild des Vaters folgte – letztlich Schriftsteller geworden ist.

Der junge Max Frisch besuchte von 1924 bis 1930 das Kantonale Realgymnasium in Zürich und schloss es mit der Matura (Reifeprüfung) ab. Er war kein guter Schüler – wie er selbst später berichtete –, durchlief jedoch alle Klassen ohne Probleme. Er begeisterte sich für Fußball und später für das Theater. Im Alter von sechzehn Jahren schrieb er ein Schauspiel, das er selbstbewusst dem berühmten Berliner Theaterregisseur Max Reinhardt schickte.

Im Frühjahr 1931 besuchte Frisch die Rekrutenschule in Zürich. Gefragt, ob er die Offizierslaufbahn einschlagen wolle, lehnte er ab; er wollte lieber Dichter werden. Dem Drängen seiner Eltern nachgebend, begann er ein Studium an der Universität Zürich. Er entschied sich für die **Germanistik**, brach jedoch

1934 das Studium enttäuscht wieder ab, weil er eingesehen hatte, dass man auf diesem Wege nicht lernen konnte, wie man Schriftsteller wird.

Bereits 1931 arbeitete Frisch als **Journalist** und **freier Schriftsteller**. Ein wichtiger Antrieb war der Wunsch, die Welt kennen zu lernen. Als im Frühjahr 1933 in Prag die Eishockey-Weltmeisterschaft anstand, reiste er dorthin und dann noch weiter nach Belgrad, Sarajevo, Dubrovnik, Istanbul, Athen, Korinth und Delphi. Aus all diesen Städten schrieb er zahlreiche Reportagen, die in den Zeitungen seiner Heimatstadt Zürich erschienen. Viele Erlebnisse dieser Zeit verarbeitete Frisch in seinem ersten Roman, den er im Alter von 23 Jahren abschloss: *Jürg Reinhart. Eine sommerliche Schicksalsfahrt.* Die Hauptfigur dieses Erstlings kehrte später, 1942, in seinem Roman *J'adore ce qui me brûle oder Die Schwierigen* wieder. Der Protagonist Reinhart, ein erfolgreicher Maler, verbrennt seine Werke und versucht daraufhin, in einem bürgerlichen Beruf Fuß zu fassen.

1936 begann Max Frisch ein Studium der **Architektur** an der Eidgenössischen Technischen Hochschule in Zürich. Er hatte beschlossen, einen bürgerlichen Beruf zu ergreifen. Später, 1957, berichtete er in einer Rede an junge Lehrer: „Mit 25 Jahren war ich fertig mit der Schriftstellerei. Ich wußte, daß es mir im letzten Grund nicht reicht, und verbrannte alles Papier, das beschriebene und das leere dazu, fertig mit falschen Hoffnungen" (nach: VH, S. 29). Jedoch entstanden auch während des Architekturstudiums immer wieder „nebenher" Zeitungsartikel. Ganz konnte Frisch das Schreiben nicht aufgeben.

Als im September 1939 ein deutscher Überfall auf die neutrale Schweiz erwartet wurde, wurde Frisch zum **Militärdienst** eingezogen. Während dieser Zeit schrieb er an einem Tagebuch, das in der *Neuen Zürcher Zeitung* abgedruckt wurde. Bald stellte ihn der Hauptmann seiner Einheit jeden Tag für eine Stunde frei, damit er auch offiziell das Tagebuch des Grenzdienstes verfassen konnte. 1940 wurde dieses Tagebuch unter dem Titel *Blätter aus dem Brotsack* veröffentlicht.

1941 erhielt Frisch Urlaub vom Wehrdienst, schloss sein Studium ab und fand eine Anstellung als Architekt. Im Vordergrund stand nun seine **bürgerliche Karriere**. Mit seinem Entwurf für ein geplantes Volksbad in Zürich setzte er sich gegen 82 Mitkonkurrenten durch und erhielt den Auftrag. Frisch eröffnete daraufhin ein **eigenes Architekturbüro**. Eine weitere Veränderung betraf sein Privatleben: Im Juli 1942 **heiratete** er seine Kollegin Constanze von Meyenburg.

Für den Architekten und Familienvater – in den Jahren 1943 und 1944 wurden zwei Kinder geboren – hieß es nun: „Schreiben am Feierabend. Ich will nicht ertappt werden dabei, daß ich im Büro etwas anderes treibe." (nach: VH, S. 29) Ein Impuls von außen brachte Frisch dazu, sich wieder dem Theater zuzuwenden. (Er hatte, nach der Ablehnung seines frühen Theaterstücks *Stahl* durch Max Reinhardt, nicht mehr an seine Begabung als **Dramatiker** geglaubt.) Kurt Hirschfeld, Dramaturg und späterer Direktor des Zürcher Schauspielhauses, hatte Frischs Prosa gelesen und bat ihn daraufhin, auch für die Bühne zu schreiben. Sein „Lehrmeister" war Bertolt Brecht, dessen Stücke häufig in Zürich aufgeführt wurden. So entstand 1944 *Santa Cruz* und 1945 *Nun singen sie wieder,* ein Theaterstück, das sich mit einer Geiselerschießung durch deutsche Soldaten beschäftigt.

Nach dem Krieg arbeitete Frisch an seinem Bauprojekt Volksbad und schrieb sein drittes Theaterstück, *Die Chinesische Mauer,* das 1946 Premiere hatte.

In den Jahren 1946 und 1947 unternahm Frisch viele Reisen und arbeitete immer wieder an seinem **Tagebuch**. 1947 erschien das *Tagebuch mit Marion*. Marion ist ein Puppenspieler, der nicht verstehen kann, warum die Menschen bald so, bald anders reden. Als er erkennen muss, dass er selbst nicht besser ist, begeht er Selbstmord.

Der deutsche **Verleger Peter Suhrkamp** riet Frisch, das *Tagebuch mit Marion* fortzusetzen. Es erschien auch sofort nach der Gründung des Suhrkamp Verlags im Jahre 1950 als *Tagebuch 1946–1949*. Frisch wurde in der Folgezeit neben Bertolt Brecht und Hermann Hesse einer der wichtigsten Autoren des Suhrkamp Verlags. – 1949 wurde auch das Volksbad in Zürich fertig. Im selben Jahr war Max Frisch zum dritten Mal Vater geworden.

Immer deutlicher kam Frisch der „Schritt in die Bürgerlichkeit" als ein Fehltritt vor. Wieder bedurfte es eines Impulses von außen, der ihn darin bestärkte, ausschließlich als Schriftsteller zu arbeiten: 1951 erhielt er das amerikanische **Stipendium** *Rockefeller Grant for Drama*. Zwischen April 1951 und Mai 1952 lernte er Amerika kennen, wo ihn seine Reisen nach New York, Chicago, San Francisco, Los Angeles und Mexiko führten.

Amerika ist auch der Hintergrund für Frischs großen Roman *Stiller*, an dem er während dieser Zeit arbeitete. Dieses Projekt gab er jedoch vorläufig zugunsten eines weiteren Theaterstücks auf *(Don Juan oder die Liebe zur Geometrie)*.

Wieder in die Schweiz zurückgekehrt, schrieb er weiter an dem Romanmanuskript *Stiller*. Er zog einen Schlussstrich unter sein bürgerliches Leben und widmete sich nur noch dem Schreiben: 1954 trennte er sich von seiner Familie und zog in ein abgelegenes Bauernhaus. 1955 löste er das Architekturbüro auf.

Max Frischs charakteristischste Werke sind vielleicht seine **Tagebücher**, mit denen er eine ganz eigene Kunstform entwickelte. Es kann als ein großes Verdienst des Verlegers Peter Suhrkamp angesehen werden, dass er die Bedeutung dieser Tagebücher erkannt hat; denn es handelt sich hier nicht um private Aufzeichnungen, wie man zunächst annehmen möchte. Der Leser kann darin vielmehr die Keimzellen mancher späterer Werke von Max Frisch besichtigen, erhält ferner einen Einblick in Frischs Theorien zur Literatur und darüber hinaus ein Bild vom Europa der Nachkriegsjahre. Das *Tagebuch 1966–1971,* das

1972 erschien, zeigt Frisch ebenfalls als Zeugen einer bewegten Zeit: Er setzt sich darin mit dem Vietnamkrieg auseinander, mit dem gesellschaftlichen Aufbruch in den Sechzigerjahren oder mit der ersten Mondlandung; und immer wieder äußert er sich zu **Themen wie Liebe, Tod und Heimat**.

Diese Themen, die jeden Menschen angehen, sind auch bestimmend für Max Frischs bekannteste **Romane**, die ihn zum Bestsellerautor machten: *Stiller* (1954), *Homo faber* (1957) und *Mein Name sei Gantenbein* (1964). Der Roman *Stiller* erzählt die Lebensgeschichte des Bildhauers Anatol Stiller, der seine Identität leugnet. In Tagebuchform erzählt Stiller als Jim White sein Leben, wobei er deutlich werden lässt, wie schwierig – geradezu unmöglich – das ist. Was er über sein Leben sage, sei immer die Behauptung anderer. Er berichte nur, wie diese ihn erlebt hätten.

Der Ingenieur Walter Faber in *Homo faber* sieht sein Leben als gelungen an – bis er merkt, dass er sein Leben nicht richtig gelebt hat, sondern nur seinen Vorstellungen und Vorurteilen gefolgt ist.

In *Mein Name sei Gantenbein* gibt der Ich-Erzähler Gantenbein vor, blind zu sein, weil er den Menschen die Freiheit geben will, sich wenigstens vor ihm nicht verstellen zu müssen. Gantenbein selbst betrachtet seine Existenz als Experiment: Er denkt sich Geschichten aus, wie sein Leben verlaufen könnte.

Diese drei Romane machten Max Frisch zum berühmtesten deutschsprachigen Gegenwartsautor der Fünfziger- und Sechzigerjahre. In dieser Zeit **wandte er sich aber auch wieder der Bühne zu**: 1957 entstand *Biedermann und die Brandstifter,* eines der erfolgreichsten Bühnenstücke des 20. Jahrhunderts: In Form einer Parabel wird erzählt, wie der Bürger Gottlieb Biedermann Brandstifter in sein Haus aufnimmt und ihnen noch die Streichhölzer gibt, mit denen sie dieses zuletzt anzünden.

Ein zweites Erfolgsstück wurde 1960 in Zürich uraufgeführt: *Andorra*. Ein junger Mann wird von den Menschen seiner Umgebung für einen Juden gehalten. Alle machen sich ein Bild von ihm, woraufhin sich sein eigenes Selbstbild und damit seine Persönlichkeit immer mehr verändert. Zu spät wird allen klar, dass der junge Mann gar kein Jude ist.

1968 kam ein weiteres Stück mit dem für Max Frischs gesamtes literarisches Werk programmatischen Titel *Biografie: Ein Spiel* auf die Bühne. Hier geht es um einen Wissenschaftler, der sein Leben verändern und wiederholen kann, wie er will, dabei aber feststellt, dass sich nichts verändert.

Ein größeres Werk hat Frisch danach nicht mehr geschrieben. 1971 verfasste er – einer lang zurückliegenden Anregung Bertolt Brechts folgend – das Stück *Wilhelm Tell für die Schule,* worin er die für das Selbstverständnis der Schweiz zentrale Geschichte gegen den Strich erzählt. 1975 entstand die autobiografische Erzählung *Montauk,* in deren Mittelpunkt die Liebesaffäre des alternden Helden mit einer jüngeren Frau steht. 1979 kam die Erzählung *Der Mensch erscheint im Holozän* heraus und 1982 als letzte literarische Arbeit die Erzählung *Blaubart.* Hier versucht ein des Mordes an seiner Ehefrau beschuldigter Arzt, seine Lebensgeschichte zu bewältigen.

1988 begann der Regisseur Volker Schlöndorff, *Homo faber* zu verfilmen. Frisch verfolgte die Arbeit an dem Film interessiert.

Max Frisch war zwei Mal verheiratet. Beide Ehen endeten mit einer Scheidung. Anfang der Sechzigerjahre lebte er in Rom mit der österreichischen Schriftstellerin Ingeborg Bachmann (1926–1973) zusammen. Eine spannungsreiche, aber dauerhafte Freundschaft verband ihn mit seinem Schweizer Landsmann Friedrich Dürrenmatt (1921–1990). Deutsche Weggefährten waren etwa Günter Grass und Martin Walser (beide Jahrgang 1927).

Für sein literarisches Werk wurde Max Frisch mit zahlreichen Preisen ausgezeichnet, so mit dem Georg-Büchner-Preis (1958) und dem Friedenspreis des Deutschen Buchhandels (1976).

Max Frisch starb am 4. April 1991 in Zürich.

Inhaltsangabe

Walter Faber schreibt seine Erinnerungen in einem Tagebuch nieder. Dabei stellt er die Ereignisse nicht in chronologischer Reihenfolge dar. Er berichtet über Vergangenes, greift auf zukünftiges Geschehen vor und gibt seine Gedanken, Meinungen, Urteile wieder, sodass das Romangeschehen in einzelne Mosaikteilchen aufgespalten wird. Im Folgenden wird die Handlung, wie sie von Faber dargestellt wird, zusammengefasst:

Erste Station

Den ersten Teil seines Berichts schreibt Faber in Caracas, der Hauptstadt von Venezuela, in der Zeit vom 21. Juni bis zum 8. Juli 1957.

Zu Beginn des Berichts und damit des Romans befindet sich der Schweizer Ingenieur Walter Faber im Flugzeug. Er will von New York, wo er seit mehreren Jahren wohnt, nach Venezuela fliegen. Dort soll er im Auftrag der UNESCO die Montage einer technischen Anlage leiten. Sein Nachbar im Flugzeug ist ein junger Unternehmer aus Düsseldorf, der sich als Herbert Hencke vorstellt. Herbert will seinen Bruder besuchen, der auf einer Farm in Guatemala lebt und von dem er lange nichts mehr gehört hat. Faber wird während des Gesprächs mit Herbert bewusst, dass dieser ihn an seinen deutschen Freund Joachim erinnert, den er seit über 20 Jahren nicht mehr gesehen hat.

Während das Flugzeug in Houston zwischenlandet, bricht Faber, der magenleidend ist, in der Toilette des Flughafens ohnmächtig zusammen. Er versteckt sich dort, weil er die Dienstreise nicht mehr fortsetzen möchte. Eine Stewardess bringt ihn jedoch zum Flugzeug zurück.

Die Maschine muss wegen eines Motorschadens auf dem Weg nach Mexico-City in der Wüste Tamaulipas notlanden. Der Aufenthalt dort dauert vier Tage. Während dieser Zeit werden Herbert Hencke und Walter Faber Freunde.

Faber erfährt, dass Herbert tatsächlich Joachims Bruder ist und Joachim mit Fabers ehemaliger Freundin Hanna Landsberg, damals Studentin der Kunstgeschichte, verheiratet war. Faber erinnert sich, dass Hanna von ihm schwanger geworden war. Als Faber davon erfuhr, konnte er sich nicht darüber freuen. Gerade zu dieser Zeit war ihm eine Stelle in Bagdad angeboten worden. Als Hanna merkte, dass er das Kind nicht haben wollte, tat sie so, als sei sie damit einverstanden, einen Schwangerschaftsabbruch vornehmen zu lassen. Dennoch fühlte sich Faber – in Anbetracht der Zeitumstände, wie er schreibt – verpflichtet, Hanna zu heiraten. Sie war Halbjüdin, eine gebürtige Münchnerin und Tochter eines von den Nationalsozialisten in „Schutzhaft" genommenen Professors, und hatte Deutschland verlassen müssen, weil auch sie dort nicht mehr sicher war. Am 15. September 1935 wurden auf dem Nürnberger Parteitag drei neue Gesetze verkündet. Mit diesen so genannten „Nürnberger Gesetzen" wurde der Ausschluss der Juden aus der deutschen „Volksgemeinschaft" Realität. So verbot das **„Gesetz zum Schutze des deutschen Blutes und der deutschen Ehre"** die Eheschließung und den Geschlechtsverkehr zwischen Juden und Nichtjuden. Eine Heirat mit einem Schweizer hätte Hanna eine unbefristete Aufenthaltsgenehmigung in der Schweiz gesichert.

Faber erinnert sich an die Bedenken seiner Eltern gegen seine Heirat mit einer Halbjüdin. Hanna selbst jedoch war es, die die Eheschließung schließlich in letzter Sekunde platzen ließ. Unmittelbar danach musste Faber nach Bagdad abreisen. Fabers Freund Joachim, der Medizinstudent war, sollte Hanna dabei helfen, eine Abtreibung vornehmen zu lassen. Faber hat nach seiner Abreise nie wieder etwas von Hanna gehört.

Sam Shepard als Walter Faber in Volker Schlöndorffs Kinofilm „Homo faber"
nach dem Roman von Max Frisch (D/F/GR 1991).

Während des Aufenthaltes in der Wüste Tamaulipas schreibt
Faber einen Brief an seine Geliebte Ivy, um die Beziehung zu ihr
zu beenden.

Als das Flugzeug in Mexico-City landet, entschließt sich Faber,
der sonst äußerst korrekt in dienstlichen Angelegenheiten ist,
spontan, Herbert nach Guatemala zu begleiten. Sie fahren nach
Palenque. Dort treffen sie Marcel, einen Musiker aus Boston, der
seine Ferien damit verbringt, Maya-Denkmäler zu erforschen.
Diesem gelingt es, ein Fahrzeug aufzutreiben, mit dem sie
schließlich Joachims Farm erreichen. Joachim jedoch ist bereits
seit mehreren Tagen tot; sie finden ihn erhängt in einer Baracke.
Die Gründe für Joachims Tod können nicht geklärt werden.
Herbert Hencke bleibt auf der Farm und nimmt dort die Stelle
seines toten Bruders ein. Faber und Marcel fahren wieder zurück
nach Palenque. Von dort aus reist Faber endlich nach Caracas zur
Montage. Dort sind aber die nötigen Vorbereitungen für sein

Projekt noch nicht getroffen worden. Deshalb kehrt Faber nach New York zurück.

Ivy hat Fabers Abschiedsbrief ignoriert und denkt gar nicht daran, sich von ihm zu trennen. Sie holt Faber vom Flughafen ab und fährt mit ihm zu dessen Wohnung. Da die nächste Dienstreise ihn eine Woche später nach Paris führen soll, entschließt er sich, eine Schiffsreise dorthin zu buchen, damit er Ivy am nächsten Tag verlassen kann.

Auf dem Schiff trifft Faber die zwanzigjährige Elisabeth Piper, die ihn an seine Jugendliebe Hanna erinnert. Er erfährt von Elisabeth – Faber nennt sie Sabeth, weil ihm der Name Elisabeth nicht gefällt –, dass sie mithilfe eines Stipendiums ein Semester in Yale studiert hat und nun zurück nach Athen zu ihrer Mutter fährt. Faber macht ihr am Ende der Reise einen Heiratsantrag. Dass Elisabeth seine Tochter ist, weiß Faber zu diesem Zeitpunkt noch nicht. Er verabschiedet sich von ihr, als das Schiff in Le Havre anlegt. Getrennt fahren sie nach Paris.

Dort bietet Fabers Chef Williams ihm an, ein paar Tage Urlaub zu nehmen; ganz offensichtlich hat er den Eindruck, dass Faber überarbeitet und gesundheitlich nicht auf der Höhe ist. Obwohl Faber darüber entrüstet ist, nimmt er das Angebot an und geht in den Louvre, da er dort Elisabeth vermutet. Sie ist genauso kunstbegeistert wie seine ehemalige Braut Hanna. Faber trifft Elisabeth bei einem weiteren Besuch im Louvre und verabredet sich mit ihr zu einem Opernabend.

Davor kommt es noch zu einer kurzen Begegnung mit Fabers ehemaligem Professor an der Eidgenössischen Technischen Hochschule in Zürich, der dort immer sein Vorbild gewesen ist. Professor O. ist aufgrund einer schweren Krankheit kaum wiederzuerkennen und auch in seinem Wesen sehr verändert. Faber ist bemüht, ihn schnell loszuwerden. – Elisabeth sagt, dass sie per Autostopp nach Rom fahren will, was Faber ihr auszureden versucht. Er bietet ihr schließlich an, sie nach Italien zu begleiten.

Auf dem Weg nach Rom kommt es in Avignon zum Inzest zwischen Vater und Tochter. Faber erfährt im weiteren Verlauf der Reise den Namen von Elisabeths Mutter, verdrängt jedoch die immer mehr an Sicherheit grenzende Wahrscheinlichkeit, dass sie seine Tochter ist. Auch traut er sich nicht nach Joachim zu fragen und rechnet Elisabeths Geburtsdatum so aus, dass er zu dem Ergebnis kommt, sie könne nicht seine Tochter sein.

Faber reist dann mit Elisabeth nach Griechenland. In Korinth verbringen sie wandernd eine ganze Nacht im Freien. Am Vormittag danach schläft Elisabeth am Strand, während Faber im Meer badet. Im Schlaf wird Elisabeth von einer Schlange gebissen. Als Faber ihr zu Hilfe eilen will, weicht sie vor ihm zurück und stürzt über eine Böschung. Faber saugt die Wunde aus und läuft dann mit der ohnmächtigen Elisabeth auf den Armen die Straße in Richtung Athen entlang. Ein Auto fährt vorbei, später werden sie von einem Bauern mit einem Eselskarren, dann schließlich von einem Lastwagenfahrer mitgenommen. Es dauert Stunden, bis sie in Athen in einem Krankenhaus ankommen, in dem Elisabeths Schlangenbiss behandelt wird.

Faber schläft erschöpft im Krankenhaus ein. Als er wieder aufwacht, ist Hanna bei ihm. Elisabeth ist offenbar noch rechtzeitig mit dem Serum behandelt worden, ihr Zustand ist stabil, sie scheint außer Gefahr zu sein. Hanna nimmt Faber mit in ihre Wohnung und kümmert sich um ihn. Sie lebt von ihrem zweiten Mann getrennt und arbeitet in einem archäologischen Institut. In den Gesprächen zwischen Faber und Hanna werden ihre unterschiedlichen Weisen, die Welt und sich selbst zu sehen, deutlich. Faber gesteht schließlich Hanna gegenüber ein, mit ihrer Tochter geschlafen zu haben. Hanna, die ihm gesagt hat, dass Elisabeth nicht seine Tochter sei, versucht ihre Bestürzung darüber zu verbergen. Faber hört jedoch, wie sie nachts in ihrem Schlafzimmer weint. Am nächsten Tag, als Hanna und Faber zur Unfallstelle hinausfahren, um die dort liegen gebliebenen Sachen zu holen, gibt Hanna zu, dass Elisabeth Fabers Tochter ist. Faber ist entschlossen, seine Arbeit aufzugeben, nach Griechenland zu ziehen und Hanna zu heiraten. Zurück in Athen fahren Hanna und Faber zu Elisabeth ins Krankenhaus. Dort erfahren sie, dass Elisabeth kurz zuvor gestorben ist. Die Todesursache ist nicht der Schlangenbiss, sondern ein nicht diagnostizierter Schädelbasisbruch, den sie sich zugezogen hat, als sie, im Schock über den Biss der Schlange, vor Faber zurückgewichen und rücklings über die Böschung gestürzt ist.

Zweite Station

Faber befindet sich in einem Krankenhaus in Athen, in dem er auf eine Magenoperation vorbereitet wird. Seine Aufzeichnungen beginnen am 19. Juli 1957. Sie enden acht Tage später am 26. Juli 1957. Eingeschaltet in diese Aufzeichnungen ist Fabers Reisetagebuch, in dem er die ersten Wochen nach dem Tod seiner Tochter dokumentiert.

Faber ist wegen der anstehenden Montage in Caracas nach dem Tod Elisabeths wieder nach New York gereist. Bei seinem letzten Aufenthalt in New York hatte er sich vorgenommen, seine zu teure New Yorker Wohnung aufzugeben (vgl. S. 63 und S. 73). Nun findet er seinen Schlüssel, den Ivy hätte hinterlegen sollen, nicht mehr vor. Er geht zu einer der Saturday-Night-Parties bei seinem Chef Williams, wo er sich jedoch fehl am Platz vorkommt. Wiederholt ruft er in seiner Wohnung an. Am Telefon meldet sich ein Unbekannter. Ob die Wohnung neu vermietet worden oder seine Telefonnummer an einen andern vergeben worden ist, bleibt offen. Doch sieht es so aus, als könne Faber auch in dieser Hinsicht nicht mehr in sein bisheriges Leben zurückkehren.

Faber fliegt nach Caracas, muss den Flug jedoch wegen Magenbeschwerden im mexikanischen Merida unterbrechen. Dann reist er über Campeche nach Palenque, um von dort aus Herbert auf seiner Farm zu besuchen. Herbert ist völlig apathisch geworden. Faber registriert, dass er noch nicht einmal seine zerbrochene Brille repariert hat und die Farm nicht mehr verlassen will. Fabers Bemühungen, das Auto fahrtüchtig zu machen, ohne das Herbert ganz von der Außenwelt abgeschnitten ist, verfolgt dieser mit Desinteresse.

In Caracas angekommen, gelingt es Faber gerade noch, den Beginn der Montage zu überwachen. Dann wird er krank und ist gezwungen, zwei Wochen im Hotel zu bleiben. Während dieser Zeit schreibt er seinen ‚Bericht‘, der im Roman als ‚erste Station‘ bezeichnet wird. Die Montage wird ohne seine Beteiligung beendet.

In Caracas beschließt Faber, nach Europa zu fliegen. Um nicht über New York fliegen zu müssen, nimmt er einen dreitägigen Aufenthalt auf Kuba in Kauf (9.–11. Juli). Dort begeistert er sich für die Schönheit der Menschen und ihre Art zu leben. Er leidet darunter, ihnen nicht zu gleichen, und verspürt dennoch intensive Momente des Glücks. Vom ‚American Way of Life‘, als dessen Inkarnation ihm die amerikanischen Touristen auf der Insel erscheinen, fühlt er sich hingegen nur noch abgestoßen.

Von Kuba aus fliegt Faber nach Düsseldorf, weil er es für seine Pflicht hält, die Firma Hencke-Bosch über Joachims Tod und über den Zustand der Plantage in Guatemala zu informieren. Ein Techniker soll Fabers Filme vorführen. Da dieser aber vergessen hat, die Rollen zu beschriften, müssen sie, bevor die Vorstandsmitglieder sich einfinden, alle unbeschrifteten Spulen einlegen, um das Filmmaterial über die Plantage zu finden. Als plötzlich der Film von der Autoreise läuft, die Faber zusammen mit Elisabeth durch Frankreich und Italien unternommen hat, ist es Faber nicht möglich, den Film unterbrechen zu lassen. Er ist erschüttert. Unter dem falschen Vorwand, dass sein kranker Magen ihm zu schaffen mache, verlässt er die Firma, noch bevor die verabredete Vorführung beginnt. Seine gesamten Filme lässt er zurück.

Er nimmt den Zug nach Zürich. Im Speisewagen hat er den Wunsch, zwei Gabeln zu nehmen und sich wie Ödipus zu blenden. In Zürich trifft er erneut den bereits tot geglaubten Professor O., seinen Lehrer an der ETH. Von da aus fliegt er nach Athen, wo Hanna ihn am Flughafen erwartet. Hanna hat inzwischen ihre Wohnung aufgegeben, ihre Stelle am archäologischen Institut gekündigt und arbeitet nun als Fremdenführerin. Nach dem Tod ihrer Tochter war es ihr nicht möglich, ihr früheres Leben fortzusetzen. Fabers Zustand hat sich verschlechtert. Er weiß, dass er Magenkrebs hat und die bevorstehende Operation wohl nicht überleben wird, obwohl die Ärzte sich zuversichtlich geben.

In der Nacht vor der Operation notiert Faber alles, was er mit Hanna besprochen hat. Durch diese letzten Schilderungen Fabers wird der Leser über Hannas bisheriges Leben informiert. So erfährt der Leser von Hannas Wunsch, ihr Kind allein aufzuziehen. Aus den Aufzeichnungen wird auch deutlich, dass Faber schließlich Krankheit und Tod akzeptiert hat.

Textanalyse und Interpretation

1 Aufbau und Textstruktur

Während im 19. Jahrhundert entstandene Romane in der Regel noch chronologisch durcherzählt sind, gilt die **Aufhebung der Chronologie** als Kennzeichen modernen Erzählens. In dieser Erzählweise kommt zum Ausdruck, dass der Glaube an einen übergeordneten Zusammenhang ebenso verloren gegangen ist wie die Vorstellung, dass jede Handlung sinnvoll auf ein Ziel zuläuft.

Auch dem Techniker Faber, der sich für nüchtern und geradlinig hält, gerät sein Bericht als **typisch moderne diskontinuierliche Erzählung**. Zwar legt er einen besonderen Wert auf exakte Datierungen. Alle wesentlichen Ereignisse des Zeitraums vom 25. März bis zum 26. Juli 1957 werden mit Zeitangaben belegt. Diese helfen, die Haupthandlung des Romans in ihren aufeinander folgenden Handlungsschritten zu rekonstruieren. Sie tragen jedoch wenig dazu bei zu verstehen, was – auf einer tieferen Ebene der Betrachtung – tatsächlich passiert ist, was den Figuren des Romans zugestoßen ist und wie sie dadurch verändert worden sind.

Die Persönlichkeit Fabers wird für den Leser gerade durch die **Brüche** innerhalb seines Berichts sichtbar. Obwohl er im Rückblick erzählt, verschweigt er zunächst vieles, was zu erzählen ihm besonders schwer fällt. Auch das Bedürfnis, sich durch das Abfassen des Berichts zu rechtfertigen, spielt hierbei eine große Rolle. So überspringt er beispielsweise zunächst die Schilderung von Elisabeths Unfall und geht von dem Bericht über die Autoreise durch Italien unmittelbar zu dem Moment über, als er in einem Athener Krankenhaus erwacht und Hanna nach zwanzig Jahren wiedersieht (S. 135). Als er dann die Schilderung des Unfalls nachholt, ist zunächst nur von dem Schlangenbiss die Rede (S. 138–141). Erst als Faber davon erzählt, wie er mit Hanna noch einmal die Unfallstelle aufgesucht hat, bringt er es über sich, darüber zu schreiben, wie Elisabeth rücklings eine mannshohe Böschung hinabstürzt, als sie erschrocken vor ihm zurückweicht (S. 169–171). Ihr Erschrecken mag mit dem Schock über den Schlangenbiss zu tun haben. Faber stürzt ihr, direkt aus dem Meer kommend, wo er nackt gebadet hat, zu Hilfe. Vielleicht weicht die verstörte, gerade erst durch den Biss erwachte Elisabeth auch einfach vor dem nackten Mann zurück, der auf sie bedrohlich wirkt. Jedenfalls ist es die Verletzung, die sie durch diesen Sturz erleidet, an der sie letztlich stirbt. Bezeichnend für Fabers uneingestandenes Gefühl, am Tod seiner Tochter schuld zu sein, ist die Rechtfertigung, mit der er die nachträgliche Schilderung des verhängnisvollen Moments einleitet: „Was den Unfall betrifft, habe ich nichts zu verheimlichen." (S. 169) Dass er – zumindest unterbewusst – jedoch im Grunde vom Gegenteil überzeugt ist, zeigt der Umstand, dass er den **Sturz** so **lange unerwähnt** lässt. Erst als er in seinem Bericht an dem Moment angelangt ist, in dem er mit Hanna nochmals die Unglücksstelle aufsucht, legt er gewissermaßen – vergleichbar dem Täter, der am Ort seiner Tat nicht länger leugnen kann – ein Geständnis ab (S. 169–171). Hanna reagiert „wie ein Freund, dabei war ich ja gefaßt darauf, daß sie, die Mutter, mich in Grund und Boden verflucht, obwohl ich anderseits, sachlich betrachtet, wirklich nichts dafür kann" (S. 171). Auch dieser Kommentar zeigt, dass Faber sich schuldig fühlt, auch wenn er seine Schuld nicht offen eingestehen möchte.

Gleich nach der Autofahrt zum Unfallort fahren Hanna und Faber ins Krankenhaus, wo sie erfahren, dass Elisabeth überraschend gestorben ist – und zwar, wie sich letztlich herausstellt, an den Folgen des nicht erkannten Schädelbasisbruchs. Man kann daher auch sagen: Faber erwähnt den Sturz Elisabeths in seinem Bericht erst, als sich das nicht mehr umgehen lässt, weil andernfalls unverständlich bleibt, wie sich seine Tochter die tödliche Verletzung zugezogen hat.

An diesen und anderen Stellen des Romans sind die Abweichungen der Erzählung gegenüber der ursprünglichen Chronologie der Geschehnisse Ausdruck der **persönlichen Verstrickung des Erzählers in die Geschichte**, seines Wunsches, alles ungeschehen zu machen, und seines Bedürfnisses, sich zu rechtfertigen und nicht zuletzt sein technisches Weltbild zu verteidigen.

Diese – vorwiegend unbewussten – Motive des Erzählers Faber stehen in einem spannungsvollen Wechselverhältnis mit der Aufgabe des Autors des Romans, die Geschichte so zu erzählen (bzw. von seinem Erzähler erzählen zu lassen), dass sie den Leser in Atem hält. Wenn Faber entscheidende Umstände der Geschichte zunächst verschweigt, so entsteht dadurch ein Erklärungsbedarf, der dafür sorgt, dass der Leser mit Interesse weiterliest. Eine ganz ähnliche Wirkung haben die Unheil verkündenden **Vorausdeutungen**: „Ich habe das Leben meines Kindes vernichtet und ich kann es nicht wiedergutmachen", notiert Faber verzweifelt bereits zu einem Zeitpunkt seines Berichts, als er gerade erst davon erzählt hat, wie ihm Elisabeth auf dem Dampfer zunächst nur aufgefallen ist (S. 78). An dieser Stelle ist demnach schon klar: Das junge Mädchen ist seine Tochter und wird durch seine Schuld sterben. Weil das jedoch so schrecklich und unerhört ist, verliert der Leser als Folge dieser vorzeitigen Information nicht das Interesse am weiteren Gang der Geschichte, sondern verfolgt gebannt, wie das so leicht vermeidbare Unheil seinen Lauf nimmt.

Auf kunstvolle Weise ist so das scheinbar spontane, von inneren Konflikten geprägte Erzählen Fabers mit der wohlkalkulierten Erzählstrategie des Autors verknüpft.

Fabers Bericht entsteht in zwei Schreibphasen, die im Roman als „Stationen" bezeichnet werden. Der **erste Teil** des Berichts wird in Caracas zwischen dem 21. Juni und dem 8. Juli 1957 aufgeschrieben (vgl. S. 174), also nach der eigentlichen **Haupthandlung**. Dieser Teil des Romans berichtet über zwei Schichten der Vergangenheit: zum einen über das, was sich in den Wochen zuvor ereignet hat (vom verspäteten Abflug in New York an bis zum Tod Elisabeths, also vom 25. März bis zum 28. Mai 1957); zum anderen über die Vorgeschichte, die über 20 Jahre zurückliegt (v. a. Hannas und Fabers gemeinsame Vergangenheit, vgl. S. 49–52 und S. 60 f.). Dazu kommen Einschübe mit Überlegungen, die Faber erst während des Schreibens anstellt, also nach dem Tod seiner Tochter und dem Ende der Haupthandlung.

Auf diesen ersten Teil folgt ein kürzerer **zweiter Teil**, der eher den Charakter eines langen **Epilogs** hat, in dem die Nachwirkungen der zuvor geschilderten Ereignisse auf die wichtigsten Personen der Geschichte – Faber, Hanna, aber beispielsweise auch Herbert Hencke – beschrieben werden. Dieser zweite Teil enthält das Reisetagebuch Fabers, das vom 1. Juni (S. 175) bis zum 16. Juli (S. 209) reicht, und die Aufzeichnungen vom 19. Juli an (S. 175), die während Fabers Aufenthalt im Athener Krankenhaus entstehen. Letztere erscheinen im Kursivdruck und heben sich dadurch von den dazwischengeschalteten Passagen des Reisetagebuchs ab. Der Zeitpunkt der Handlung beginnt mit dem Zeitpunkt der Erzählung zu verschmelzen. Zuletzt ist die erzählte Vergangenheit, der Anlass des Berichts, aufgebraucht. Was bleibt, ist lediglich Fabers Warten auf die Operation und sein Nachdenken über Hanna, die ihn regelmäßig im Krankenhaus besucht. Die letzten Aufzeichnungen geben dem Leser wichtige zusammenhängende Informationen über Hannas Leben und Fabers Verhältnis zu ihr in der Vergangenheit. So wird dem Leser klar, dass nicht die zufällige Begegnung mit seiner Tochter, sondern die Trennung von Hanna das zentrale Ereignis in Fabers Leben ist.

Vereinfachtes Schema des Romanaufbaus:
Überblick über Zeitebenen, Orte und Handlungsschritte

	Erste Station		Zweite Station
Erzähl-zeit	**Caracas** 21.06. – 08.07.1957	**Erzähl-zeit**	**Athen** 19.07. – 26.07.1957
	Aufenthalt in Athen Tod Elisabeths		Krankenhausaufenthalt in Athen
	Reise nach Athen über Frankreich und Italien		Aufenthalt auf Kuba
	Schiffsreise nach Europa Begegnung Elisabeth – Faber		Zweite Reise nach Caracas Zweiter Besuch auf der Plantage
	Ivy und New York		
	Erste Reise nach Caracas Besuch auf Joachims Plantage		
	Flug Notlandung in der Wüste		
	Elisabeths Studium in den USA		
	Fabers Tätigkeit für die UNESCO		
	Heirat Hannas und Joachims, Geburt Elisabeths, Scheidung		
	Hanna: Liebe, Schwanger- schaft, geplatzte Hochzeit		
	Fabers Studium in Zürich		

(Linke Spalte oben: Erzählte Zeit März – Juni 1957 / Haupthandlung; linke Spalte unten: Erzählte Zeit 1933 – 1957 / Vorgeschichte; mittlere Spalte: Erzählte Zeit Juni/Juli '57)

„Was ist denn meine Schuld?" (S. 134) – Faber rekonstruiert in seinem „Bericht" die Vergangenheit; seine Rechenschaftsablage wird zur Zeugenaussage gegen ihn selbst.

2 Charakteristik der Figuren

Die wichtigste Romanfigur ist der Ich-Erzähler Walter Faber. **Alle**
in seinen Aufzeichnungen vorkommenden **Personen** lernt der
Leser **nur durch Fabers Perspektive** kennen. Sein Selbstbild und
die inneren Konflikte, die er durch den Bericht in den Griff zu
bekommen versucht, haben großen Einfluss darauf, wie er die
anderen Menschen sieht. Erst auf der Basis einer tieferen **Einsicht
in Fabers Persönlichkeit** kann man sich daher mit den beiden
anderen Hauptfiguren Elisabeth und Hanna Piper sowie mit den
wichtigeren Nebenfiguren Herbert, Marcel und Ivy befassen.

Figurenkonstellation

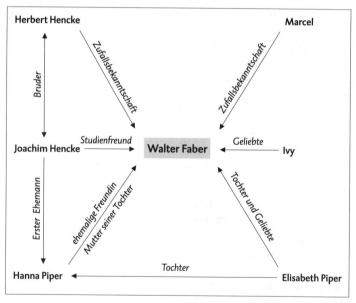

„Ich gebe zu: Ohne die Notlandung in Tamaulipas (26. III.) wäre alles anders gekommen; ich hätte diesen jungen Hencke nicht kennengelernt, ich hätte vielleicht nie wieder von Hanna gehört, ich wüßte heute noch nicht, daß ich Vater bin. […] Vielleicht
würde Sabeth noch leben. Ich bestreite nicht: Es war mehr als ein Zufall, daß alles so
gekommen ist, es war eine ganze Kette von Zufällen. Aber wieso Fügung?" (S. 23)

University of Chester, Seaborne Library

Title: Max Frisch : Homo Faber /
interpretiert von Juliane Lachner.
ID: 36189736
Due: 08-03-17

Total items: 1
15/02/2017 15:37

Renew online at:
http://libcat.chester.ac.uk/patroninfo

Thank you for using Self Check

3

Walter Faber

Fabers Bericht dient gleichermaßen der **Selbstvergewisserung** und der **Rechtfertigung**. Die Ereignisse, die zum Tod seiner Tochter geführt haben, stellen seine ganze Existenz – sein Selbstbild und seine Haltung gegenüber der Welt – in Frage. Über weite Strecken stellen Fabers Aufzeichnungen einen Versuch dar, sein altes Ich gegen diese Erschütterungen zu behaupten. Eng damit zusammen hängt der Wunsch, sein Handeln zu rechtfertigen. Wie abzusehen, scheitern beide Versuche.

Bezeichnend für Fabers Bedürfnis nach Selbstvergewisserung ist der Umstand, dass sein Bericht von **direkten Selbstaussagen** durchzogen ist. Faber hat ein auffälliges Bedürfnis, sich selbst zu erklären. Dieses Bedürfnis steht in starkem Kontrast zu seiner Vorstellung, ein selbstbewusster, sachlicher Mensch zu sein, ein Einzelgänger, der unbeirrt seinen eigenen Weg geht.

Im Folgenden werden die entscheidenden – und oft verräterischen – Selbstaussagen Fabers angeführt und kommentiert. Auf diese Weise wird nicht nur seine Persönlichkeit sichtbar, sondern auch die **Entwicklung**, die Faber im Laufe der Ereignisse, vor allem aber während der Niederschrift seines Berichts durchmacht. Um diese Entwicklung deutlich zu machen, wird weitgehend darauf verzichtet, die angeführten Selbstaussagen thematisch zu ordnen.

Viele dieser Selbstaussagen sind im **Präsens** verfasst. Schon daran lässt sich erkennen, dass es sich nicht um situationsbezogene Aussagen handelt, sondern um Splitter von Fabers Selbstbild. Bei anderen Selbstaussagen zeigt die Verwendung des erzählerischen **Präteritums** an, dass sie von einem bestimmten Ereignis veranlasst sind. Solche Aussagen sind im Kontext der jeweiligen Handlungsepisode zu sehen. Ab und zu geht die kontextgebundene Selbstaussage auch in die allgemeine Selbstaussage über: „Ich wurde sentimental, was sonst nicht meine Art ist" (S. 95).

Erwartungsgemäß bringt Walter Faber zu Beginn des Berichts sein Selbstbild mit einigermaßen provozierender Selbstgewissheit zum Ausdruck: Es sieht sich als **Techniker**, als nüchternen, disziplinierten und distanzierten Menschen, der ganz auf dem Boden der Tatsachen steht und dem deshalb alles aus seiner Sicht Irrationale – die Beschäftigung mit Kunst, eine lebhafte Fantasie, eine scheinbar grundlose Begeisterung – als unter seiner männlichen Würde erscheint:

- „Ich mache mir nichts aus Romanen – sowenig wie aus Träumen" (S. 16)
- „ich hasse diese Manie, einander am Ärmel zu greifen" (S. 18)
- „Ich glaube nicht an Fügung und Schicksal, als Techniker bin ich gewohnt mit den Formeln der Wahrscheinlichkeit zu rechnen." (S. 23)
- „ich gestand, daß ich mir aus Landschaften nichts mache" (S. 25)
- „Ich bin Techniker und gewohnt, die Dinge zu sehen, wie sie sind. [...] ich bin ja nicht blind." (S. 25)
- „Warum soll ich erleben, was gar nicht ist?" (S. 26)
- „Ich mache mir nichts aus Folklore." (S. 48)

Dass Faber sich selbst zu diesem frühen Zeitpunkt der Geschichte, zu dem – abgesehen von der Notlandung – scheinbar noch nichts Verstörendes passiert ist, **über sich selbst täuscht**, wird nachträglich offenbar: Beim Bericht über den Aufenthalt in der Wüste Tamaulipas (infolge der Notlandung) macht er sich über die Ergriffenheit seiner Mitreisenden angesichts ihrer Natureindrücke lustig – er findet ihr Verhalten „weibisch" und „hysterisch" (S. 26). Als er Wochen später, kurz vor dem Ende der Romanhandlung, in Düsseldorf dem Vorstand von Hencke-Bosch seine Filmaufnahmen von ihrer Plantage in Guatemala vorführen will und zunächst die entscheidenden Stellen in dem unbeschrifteten Filmmaterial ermitteln muss, stellt er jedoch zu seiner Überraschung fest, wie eifrig er **Sonnenuntergänge** – ein besonders sentimentales Motiv – gefilmt hat: „[...] ich staunte, wieviel Sonnenuntergänge, drei Sonnenuntergänge allein in der Wüste von Tamaulipas, man hätte meinen können, ich reise als Vertreter von Sonnenuntergängen, lächerlich; ich schämte mich geradezu vor dem jungen Techniker [...]." (S. 202)

Auch Fabers Verhalten bei der **Notlandung** ist geeignet, seine Pose als kaltblütiger Mensch zu entlarven. Als der Motorschaden auftritt, schweigen die anderen Passagiere beklommen, während Faber, zuvor einsilbig, nun auf seinen Sitznachbarn Herbert Hencke einredet, offenkundig um zu zeigen, wie wenig beeindruckt er ist – „Ich hielt ganze Vorträge", notiert er mit halber Selbstkritik –, und ihn sogar am Ärmel zupft, als dieser nicht zuhört, „was sonst nicht meine Art ist" (S. 18). Auch der Stewardess geht er mit seiner betonten Lockerheit – „sobald man ein Witzchen machte, verlor sie ihr Lächeln" (S. 19) – auf die Nerven. Auch sie fasst er wiederholt an (S. 18 f. und S. 20). Über die letzten Momente vor der Notlandung schreibt Faber: „ich staunte über meine Ruhe. [...] Eigentlich war man nur gespannt." Auch erinnert er sich: „Ich dachte an niemand." (S. 21) Diese Bemerkung zeigt, dass Faber, bevor er seiner Tochter begegnet und Hanna wiederbegegnet, tatsächlich **ohne tiefere menschliche Bindungen** ist (vgl. auch S. 31: „Jedermann saß und schrieb. / Man mußte fast schreiben, bloß damit die lieben Leute nicht fragten, ob man denn keine Frau habe, keine Mutter, keine Kinder, – [...].").

Dass er allein durchs Leben geht, will Faber als Vorteil verstanden wissen. Er lebt ganz für seinen Beruf, den er als einen **männlichen Beruf** empfindet. Er arbeitet als Ingenieur für die UNESCO und leistet dort in leitender Stellung „*technische Hilfe für unterentwickelte Völker*" (S. 10). Über seine Einstellung zu seiner Arbeit teilt Faber mit:

- „Ich gelte in beruflichen Dingen als äußerst gewissenhaft, geradezu pedantisch, [...]" (S. 35 f.)
- „Ich bin unausstehlich, wenn ich überarbeitet bin, und man ist meistens überarbeitet." (S. 70)

- „Ich bin nicht gewohnt, untätig zu sein." (S. 79)
- „So eine Schiffreise ist ein komischer Zustand. [...] Ich bin gewohnt zu arbeiten oder meinen Wagen zu steuern, es ist keine Erholung für mich, wenn nichts läuft, und alles Ungewohnte macht mich sowieso nervös. Ich konnte nicht arbeiten." (S. 81 f.)
- „Ich stehe auf dem Standpunkt, daß der Beruf des Technikers, der mit den Tatsachen fertig wird, immerhin ein männlicher Beruf ist, wenn nicht der einzigmännliche überhaupt" (S. 83).

Dass Faber, ganz gegen seine Gewohnheit, plötzlich ohne Rücksprache seine Dienstreise unterbricht, zeigt, dass er schon vor der Begegnung mit Elisabeth **aus dem Gleichgewicht geraten** ist. Nicht erst die Notlandung, nicht erst die Bekanntschaft mit Herbert Hencke und die sich dadurch eröffnende Aussicht, seinen Studienfreund Joachim wiederzusehen, führen zu diesem Entschluss. Schon vorher, während des Zwischenstopps der Maschine in Houston, Texas (S. 11–14), hatte Faber versucht, sich dem Weiterflug zu entziehen. Grund war ein Schwächeanfall und damit sein **schlechter Gesundheitszustand**, der ihm mehr und mehr zu schaffen macht, ohne dass er dazu in der Lage ist, sich das einzugestehen, weil diese Schwäche mit seinem Selbstbild nicht zu vereinbaren ist: „Ich bin nicht gewohnt, zu Ärzten zu gehen, nie in meinem Leben krank gewesen, abgesehen vom Blinddarm [...] Ich fühlte mich vollkommen normal." (S. 107)

Dass **sein Körper** ein Eigenleben hat, dass er nicht glatt und ausdünstungslos wie Stahl ist (vgl. Fabers Bemerkung auf S. 100), verursacht ihm deutliches Unbehagen: „Ich fühle mich nicht wohl, wenn unrasiert; nicht wegen der Leute, sondern meinetwegen. Ich habe dann das Gefühl, ich werde etwas wie ein Pflanze" (S. 29). „[...] ich hasse Schweiß, weil man sich wie ein Kranker vorkommt. (Ich bin in meinem Leben nie krank gewesen, ausgenommen Masern.)" (S. 41) Das letzte Zitat zeigt auch, dass Faber sich nicht nur über seine gegenwärtige Gesundheit täuscht, sondern auch vergangene Krankheiten verdrängt. Während er einmal behauptet, in seinem bisherigen Leben nie krank gewesen zu sein, „ausgenommen Masern", behauptet er ein anderes Mal, immer gesund gewesen zu sein, „abgesehen vom Blinddarm" (S. 107). Ein sehr verlässlicher Berichterstatter ist Faber – wenigstens in solchen Punkten – nicht.

Bevor Faber Elisabeth kennen lernt, trennt er sich von seiner bisherigen **Freundin Ivy**. Der Schlussstrich, den er unter diese alte Beziehung zieht, trägt sicher dazu bei, dass er sich anschließend so schnell in Elisabeth verliebt. Darüber hinaus aber veranschaulicht die New Yorker Episode, wie stereotyp **Fabers Frauenbild** ist, bevor er Elisabeth begegnet (vgl. die Charakteristik Ivys, *Interpretationshilfe*, S. 58 f.). Er nimmt Ivy nur in ihrer Rolle als ‚verführerische Frau' wahr, die ‚nur das eine will' und die sich dementsprechend an ihm rächt, indem sie ihn noch zwei Mal, gegen seinen Vorsatz, dazu bewegt, mit ihr zu schlafen, wofür er anschließend sowohl sie wie auch sich hasst (S. 62–71). Es ist kein Wunder, dass Faber das Gefühl hat, nicht zu wissen, was Frauen denken (was übrigens auch eine stereotype männliche Vorstellung ist, die zudem nicht einer gewissen Selbstgefälligkeit – man muss nicht allen Unsinn verstehen! – entbehrt): „Mag sein, daß Ivy mich liebte. / (Sicher war ich bei Frauen nie.)" (S. 62 f.)

Auf dem Schiff wird Faber sofort auf **Elisabeth** aufmerksam und kommt von da an nicht mehr von ihr los. Er macht sich Gedanken darüber, ob sie ihn mag oder nicht, möchte es sich aber nicht eingestehen, dass ihn ihr Desinteresse oder ihre Abneigung tief treffen würde: „Ich war ihr nicht sympathisch. [...] Ich schrieb sie ab. Ohne beleidigt zu sein. Ich habe es immer so gehalten; ich mag mich selbst nicht, wenn ich andern Menschen lästig bin, und es ist nie meine Art gewesen, Frauen nachzulaufen, die mich nicht mögen; ich habe es nicht nötig gehabt, offen gestanden ..." (S. 92 f.)

Diese Haltung setzt voraus, dass man selbst nicht zu viele Gefühle ‚investiert‘, wie gesagt wird. Nur so kann man sich jederzeit wieder zurückziehen, ohne dass einen das im Innersten
trifft. Doch nun macht Faber eine neue Erfahrung. Angesichts
seines tiefen Interesses an Elisabeth kann er nicht länger als der
Überlegene agieren. Er wird gefühlvoll, auch wenn er sich dagegen wehrt: „Ich wurde sentimental, was sonst nicht meine Art
ist, [...] es war der letzte Abend an Bord, zufällig mein fünfzigs-
ter Geburtstag; davon sagte ich natürlich nichts." (S. 95) „Wir
sprachen über Sternbilder – das Übliche, bis man weiß, wer sich
am Himmel noch weniger auskennt als der andere, der Rest ist
Stimmung, was ich nicht leiden kann." (S. 97)

Schließlich macht Faber Elisabeth einen **Heiratsantrag**, was
ziemlich merkwürdig abläuft: In einem letzten Abwehrgefecht
verteidigt er die schon längst überrannte Bastion seines Selbst-
verständnisses als Einzelgänger. Er hält seiner Urlaubsbekannt-
schaft einen langen Vortrag über sich selbst, in dem er ungewöhnlich stark aus sich herausgeht, um Elisabeth zu beweisen,
dass die Ehe nichts für ihn sei:

Ich bin gewohnt, allein zu reisen. Ich lebe, wie jeder wirkliche
Mann, in meiner Arbeit. Im Gegenteil, ich will es nicht anders
und schätze mich glücklich, allein zu wohnen, meines Erachtens
der einzigmögliche Zustand für Männer, ich genieße es, allein
zu erwachen, kein Wort sprechen zu müssen. Wo ist die Frau,
die das begreift? [...] Gefühle am Morgen, das erträgt kein
Mann. [...] Frühstück mit Frauen, ja, ausnahmsweise in den
Ferien, [...] wenn man sowieso nicht weiß, was anfangen mit
dem ganzen Tag, aber nach drei Wochen (spätestens) sehne ich
mich nach Turbinen; [...] Ich bin nicht zynisch. Ich bin nur, was
Frauen nicht vertragen, durchaus sachlich. [...] Ich kann nicht
die ganze Zeit Gefühle haben. [...] Ich gebe zu: Alleinsein ist
nicht immer lustig, man ist nicht immer in Form. [...] Manch-
mal wird man weich, aber man fängt sich wieder. Ermüdungs-

erscheinungen. Wie beim Stahl, Gefühle, so habe ich festgestellt, sind Ermüdungserscheinungen, nichts weiter, jedenfalls bei mir. [...] Alles ist nicht tragisch, nur mühsam: Man kann sich nicht selbst Gutnacht sagen – Ist das ein Grund zum Heiraten?" (S. 98–100)

Ob Faber all diese Überlegungen auch genau so Elisabeth mitgeteilt hat, oder ob manches davon nur für den später geschriebenen Bericht formuliert ist, bleibt offen. Eine Textstelle weiter hinten im Roman spricht jedoch für die erste Möglichkeit:

Was ist denn meine Schuld? [...] Ich habe dem Mädchen nichts vorgemacht, im Gegenteil, ich habe offener mit ihr gesprochen, als es sonst meine Art ist, beispielsweise über mein Junggesellentum. Ich habe einen Heiratsantrag gemacht, ohne verliebt zu sein, und wir haben sofort gewußt, daß es Unsinn ist, und wir haben Abschied genommen. Warum habe ich sie in Paris gesucht! (S. 134)

Auch dieser Kommentar enthält viele **offenkundige Selbsttäuschungen**, die zum einen damit zu tun haben, dass Faber sich selbst nicht kennt, noch mehr aber wohl mit seinem Bedürfnis, sich für sein Handeln zu **rechtfertigen**. Dass er dem Mädchen „nichts vorgemacht" habe, ist natürlich eine Ausflucht. Wichtiger, als offen über sein Junggesellentum mit ihr zu sprechen, wäre es gewesen, seinem Eindruck nachzugehen, dass Elisabeth seiner Jugendliebe Hanna ungewöhnlich ähnlich ist. Dies jedoch versäumt er, weil er sich in Elisabeth zu verlieben beginnt: „Ich sagte mir, daß mich wahrscheinlich jedes junge Mädchen irgendwie an Hanna erinnern würde. Ich dachte in diesen Tagen wieder öfter an Hanna. Was heißt schon Ähnlichkeit? Hanna war schwarz, Sabeth blond beziehungsweise rötlich, und ich fand es an den Haaren herbeigezogen, die beiden zu vergleichen. Ich tat es aus lauter Müßiggang." (S. 85) „Ich halte es mit der Vernunft. Bin kein Baptist und kein Spiritist. Wieso vermuten, daß irgendein

Mädchen, das Elisabeth Piper heißt, eine Tochter von Hanna ist."
(S. 87) Faber leugnet, aus Selbstsucht fahrlässig gehandelt zu ha-
ben. Aber er weiß auch: „Hätte ich damals den Namen genannt,
Joachim Hencke, so hätte sich alles aufgeklärt." (S. 92)

Mit seinem vehementen Bekenntnis zum Junggesellentum
kann Faber Elisabeth nicht täuschen. Was sie denn denke, fragt
er sie, als er ausgeredet hat. „Sie wußte es sofort: / ,Sie sollten
heiraten, Mister Faber!'" (S. 100 f.) Damit ist das Eis gebrochen.
Wenig später fragt er sie, „ob sie mich denn heiraten würde"
(S. 102). Sie errötet, erkundigt sich, ob er das ernst meine, und
lässt die Frage dann auf sich beruhen, was Faber richtig deutet:
„[...] zu sagen gab es nichts, es war unmöglich." (S. 103) Immerhin küsst er sie und hat mit seinem Antrag eine Vertraulichkeit
zwischen ihnen gestiftet, die die Voraussetzung für alles Weitere
ist, was sich zwischen ihnen abspielt.

Faber hat sich durch seinen Antrag exponiert, er hat seine Gefühle gezeigt und ist, wenn auch sehr schonend, abgewiesen
worden. Seine Gefühle für Elisabeth scheinen ihn empfindlicher
und verletzlicher zu machen und zu einer gewissen allgemeinen
Verunsicherung zu führen. Vielleicht war er auch früher schon
empfindlicher, als er wahrhaben möchte – darüber erfährt der
Leser nichts. Zu diesem Zeitpunkt der Handlung mehren sich
jedenfalls Hinweise auf eine Verunsicherung (gerade angesichts
des Verhaltens junger Leute), die auch seine berufliche Existenz
mit einschließt. Während der Überfahrt empfindet er das Verhalten von Elisabeths Begleiter als anmaßend:

> *Meinerseits kein Grund zu Minderwertigkeitsgefühlen, ich bin*
> *kein Genie, immerhin ein Mann in leitender Stellung, nur ver-*
> *trage ich immer weniger diese jungen Leute, ihre Tonart, ihr Ge-*
> *nie, dabei handelt es sich um lauter Zukunftsträume, womit sie*
> *sich so großartig vorkommen, und es interessiert sie einen Teu-*
> *fel, was unsereiner in dieser Welt schon tatsächlich geleistet hat;*
> *wenn man es ihnen einmal aufzählt, lächeln sie höflich.* (S. 88)

In Paris ärgert er sich über einen Kellner:

> [...] ich war wütend, wie dieser Kellner (als bediene er einen
> Barbar) mich unsicher machte. Ich habe schließlich nicht nötig,
> Minderwertigkeitsgefühle zu haben, ich leiste meine Arbeit, es
> ist nicht mein Ehrgeiz, ein Erfinder zu sein, aber so viel wie ein
> Baptist aus Ohio, der sich über die Ingenieure lustig macht, leis-
> te ich auch, ich glaube: was unsereiner leistet, das ist nützlicher,
> ich leite Montagen, wo es in die Millionen geht [...]. (S. 105)
> Ich hasse Minderwertigkeitsgefühle. (S. 106)

Fabers Wiederbegegnung mit Elisabeth in Paris und ihre gemeinsame **Autoreise durch Frankreich und Italien** lösen in ihm
ein **starkes Glücksgefühl** aus. Faber, der zuvor ganz in seinem
Beruf aufgegangen war, genießt die Ferien: „Ich war glücklich und
trank meinen Pernod, ohne zu eilen, ich beobachtete sie [...]. Ich
war glücklich wie noch nie in diesem Paris [...]; ich konnte nie
glücklicher sein als jetzt." (S. 113) „Unsere Reise durch Italien –
ich kann nur sagen, daß ich glücklich gewesen bin" (S. 116).

Walter Faber (Sam Shepard) und Elisabeth Piper (Julie Delpy).
Szene aus dem Film „Homo faber" von Volker Schlöndorff.

Faber bleibt sich aber in gewisser Weise auch jetzt noch treu: Er demonstriert sein **Desinteresse an Kunst** und bekennt, dass ihm Elisabeth in vielen Zügen fremd bleibt, was er auf ihren Altersunterschied zurückführt. Auch geht er nach wie vor nur wenig aus sich heraus:

> *Was mir Mühe machte, war lediglich ihr Kunstbedürfnis, ihre Manie, alles anzuschauen. [...] Was mich interessierte: Straßenbau, Brückenbau, der neue Fiat, der neue Bahnhof in Rom, der neue Rapido-Triebwagen, die neue Olivetti – / Ich kann mit Museen nichts anfangen.* (S. 116 f.)
>
> *Ich hatte gerade das Gefühl, daß ich die Jugend nicht mehr verstehe. Ich kam mir oft wie ein Betrüger vor. [...] irgend etwas machte mich immer eifersüchtig, obschon ich mir Mühe gab, jung zu sein. Ich fragte mich, ob die Jugend heute (1957) vollkommen anders ist als zu unsrer Zeit, und stellte nur fest, daß ich überhaupt nicht weiß, wie die derzeitige Jugend ist. Ich beobachtete sie. [...] ihr junges Gesicht, ihren Ernst, ihre Freude! [...] Ich mache keine Purzelbäume, ich singe nicht, aber ich freue mich schon auch. [...] Was mich am meisten freute, war ihre Freude.* (S. 117–119)

In Avignon schlafen Faber und Elisabeth zum ersten Mal miteinander: „[...] wir waren beide aufgeregt [...], und zum ersten Mal hatte ich den verwirrenden Eindruck, daß das Mädchen, das ich bisher für ein Kind hielt, in mich verliebt war." (S. 135)

Erst danach, in Italien, findet Faber heraus, dass **Elisabeth Hannas Tochter** und damit möglicherweise auch **seine Tochter** ist. Diese Entdeckung ist **ein Schock**. Fabers Reaktion besteht darin, das Offenkundige zu verleugnen. Er rechnet und **manipuliert seine Rechnung**, bis sie das gewünschte Ergebnis erbringt. Damit entzieht er seiner überheblichen Haltung den Boden, als sachlicher Tatsachenmensch den anderen überlegen zu sein, die sich die Welt nach ihren Wünschen und Ängsten zurechtdeuten:

Heute, wo ich alles weiß, ist es für mich unglaublich, daß ich nicht schon damals, nach dem Gespräch an der Via Appia, alles wußte. [...] Sabeth: die Tochter von Hanna! Was mir dazu einfiel: eine Heirat kam wohl nicht in Frage. Dabei dachte ich nicht einen Augenblick daran, daß Sabeth sogar mein eignes Kind sein könnte. Es lag im Bereich der Möglichkeit, theoretisch, aber ich dachte nicht daran. Genauer gesagt, ich glaubte es nicht. Natürlich dachte ich daran [...] – Natürlich dachte ich daran, aber ich konnte es einfach nicht glauben, weil zu unglaublich [...]. (S. 128)

Vielleicht bin ich ein Feigling. Ich wagte nichts mehr zu sagen, Joachim betreffend, oder zu fragen. Ich rechnete [...] pausenlos, bis die Rechnung aufging, wie ich sie wollte: Sie konnte nur das Kind von Joachim sein! Wie ich's rechnete, weiß ich nicht; ich legte mir die Daten zurecht, bis die Rechnung wirklich stimmte, die Rechnung als solche. (S. 132)

Die Strafe folgt auf dem Fuß. Symbolisch kommt das durch die Art zum Ausdruck, wie Faber die folgende Nacht verbringt. Wie in einer mittelalterlichen Bettprobe liegt Faber vollständig angezogen neben der geliebten Frau, die nun für ihn tabu ist. Seine Krawatte fühlt sich an wie der Strick um den Hals des Verurteilten: „Ich lag neben ihr, nicht einmal die staubigen Schuhe und meine Krawatte hatte ich ausgezogen [...] ich lag wie gefoltert, da ich mich nicht rühren konnte; das schlafende Mädchen hatte ihre Hand auf meine Brust gelegt, beziehungsweise auf meine Krawatte, so daß sie zog, die Krawatte." (S. 133)

Dennoch kann Faber auch jetzt noch nicht von seiner Tochter lassen. Er begleitet sie nach Griechenland, wo sie verunglückt und stirbt. Hätte er sich rechtzeitig von ihr getrennt, wäre es nicht zu diesem Unglück gekommen.

In Athen begegnet Faber dann **Hanna** wieder. Sie ist ihm zugleich vertraut und fremd. Die unwillkürliche Vertrautheit zeigt,
dass Hanna die Frau ist, die Faber eigentlich liebt. In gewisser
Weise scheint ihrer gemeinsamen Tochter vor allem die Aufgabe
zugefallen zu sein, ihn zu Hanna zu führen. Sie stirbt, als diese
Mission erfüllt ist, und macht damit den Weg frei für **das eigent-
liche Paar**, für ihre Eltern. Noch vor dem Tod seiner Tochter hat
Faber beschlossen, bei Elisabeth und Hanna zu bleiben. Wie ein
solches Zusammenleben allerdings aussehen soll, kann er auch
nicht sagen:

> *Hanna verstand genau, wie ich's meinte, nicht romantisch, nicht
> moralisch, sondern praktisch: gemeinsames Wohnen, gemeinsa-
> me Ökonomie, gemeinsames Alter. [...] war ich unter allen Um-
> ständen entschlossen, mich nach Athen versetzen zu lassen oder
> zu kündigen, um mich in Athen anzusiedeln, auch wenn ich im
> Augenblick selbst nicht sah, wie es sich machen ließ, unser ge-
> meinsames Wohnen; ich bin gewohnt, Lösungen zu suchen, bis
> sie gefunden sind ...* (S. 172 f., vgl. auch S. 157)

Elisabeths Tod löst diese unmögliche Konstellation auf – er hat
mit beiden Frauen geschlafen und beiden, der Mutter seiner Tochter wie seiner eigenen Tochter, einen Heiratsantrag gemacht, beide
haben ihn nicht geheiratet –, doch der Preis ist hoch. Faber und
Hanna finden nur in der **Trauer um ihr totes Kind** zueinander.
Diese Trauer und gegenseitige schuldhafte Verstrickung – Hanna
hat ihm sein Kind vorenthalten, er hat es ihr genommen – machen eine gemeinsame Zukunft als Paar unmöglich. Hanna erkennt das früher als Faber, noch vor dem Tod ihrer Tochter:
„Irgendeine Zukunft, fand ich, gibt es immer, die Welt ist noch
niemals einfach stehengeblieben, das Leben geht weiter! / ‚Ja',
sagt sie. ‚Aber vielleicht ohne uns.'" (S. 172) Hanna, die im Gegensatz zu Faber „an Schicksal glaubt" – „Hanna ist hochgebildet;
darum wunderte es mich. Sie redete von Mythen, wie unser-
einer vom Wärmesatz, nämlich wie von einem physikalischen

Gesetz, das durch jede Erfahrung nur bestätigt wird" (S. 153f.) –, vermag ihre gemeinsame Situation viel realistischer zu erfassen als Faber, der sich noch im Angesicht der toten Tochter gegen die Vorstellung wehrt, dass hier **etwas Endgültiges** geschehen ist: „Ihr Tod kurz nach vierzehn Uhr. [...] unser Kind mit geschlossenen Augen, genau wie wenn sie schläft, [...] ich meine es nicht als Trost, sondern wirklich: Sie schläft! Ich kann es ja heute noch nicht glauben." (S. 173) Er begreift das erst Wochen später, als er im Düsseldorfer „Hencke-Bosch-Haus" (S. 208) seine Filmaufnahmen von Elisabeth betrachtet: „Ich habe nichts mehr zu sehen. Ihre zwei Hände, die es nirgends mehr gibt, ihre Bewegung, wenn sie das Haar in den Nacken wirft oder sich kämmt, ihre Zähne, ihre Lippen, ihre Augen, die es nirgends mehr gibt, ihre Stirn: wo soll ich sie suchen? Ich möchte bloß, ich wäre nie gewesen." (S. 208 f.)

Der Tod der Tochter macht Elisabeths Eltern ihre **bisherige Existenz unerträglich**. Während Hanna ihre Sachen verkauft und Griechenland verlassen will, öffnet sich Faber auf einem Zwischenstopp auf **Kuba** einer ganz anderen, entspannteren, freudvolleren Lebensform. Doch es bleibt klar, dass er an ihr nur vorübergehend teilhaben kann als ein sehnsüchtiger Fremder. Letztlich kann er nicht aus seiner Haut heraus. Darüber hinaus lässt ihn auch seine Schuld nicht los. Diese gemischten Empfindungen spiegeln sich in den Tagebuchaufzeichnungen aus Habana:

> [...] Alles spaziert, alles lacht. Alles wie Traum – [...] Mein Entschluß, anders zu leben – / Meine Freude – [...] Sonnenuntergang – [...] Meine Lust, jetzt und hier zu sein – [...] ich schaukle und lache [...] Lauter schöne Menschen, ich bewundere sie wie fremde Tiere [...] Meine Wollust, zu schauen – / Meine Begierde – [...] schlaflos, aber gelassen [...] Mein Hirngespinst: Magenkrebs. / Sonst glücklich. – [...] Die Überraschung abends: / Wie ich mich auf der Prado-Mauer einfach zu dem fremden Mädchen setze und sie anspreche [...] Ihr Staunen, ihre geradezu

lieben Augen, [...] / Juana ist achtzehn. / (Noch jünger als unser Kind.) [...] Ihre Unbefangenheit. [...] Ich erzähle von meiner Tochter, die gestorben ist, von der Hochzeitsreise mit meiner Tochter [...] Meine Frage, ob Juana an eine Todsünde glaubt, beziehungsweise an Götter; ihr weißes Lachen; meine Frage, ob Juana glaubt, daß die Schlangen (ganz allgemein) von Göttern gesteuert werden, beziehungsweise von Dämonen. [...] Ich hatte keinen besonderen Anlaß, glücklich zu sein, ich war es aber. [...] ich schaukle und singe. Stundenlang. [...] Ich preise das Leben!
(S. 187–197)

In Kuba versucht Faber **die Lebensfreude** zu finden, **die seine Tochter für ihn verkörpert hat**. Über ihren letzten gemeinsamen Morgen hat er notiert: „Ich werde nie vergessen, wie sie auf diesem Felsen sitzt, ihre Augen geschlossen, wie sie schweigt und sich von der Sonne bescheinen läßt. Sie sei glücklich, sagt sie [...], und ich werde nie vergessen, wie Sabeth singt!" (S. 165)

Auf dem Rückflug zu Hanna nach Griechenland spielt er das **Metaphern-Spiel**, das Elisabeth in der letzten gemeinsamen – durchwanderten – Nacht mit ihm gespielt hatte (S. 163–165): „Wieder unser Spiel auf einundzwanzig Punkte!" (S. 212, vgl. S. 164: „auf einundzwanzig Punkte, wie beim Pingpong"). Dass sie ihr Spiel wie beim Tischtennis – nach damaligen Regeln – auf 21 Gewinnpunkte spielen, hat mit dem Anfang ihrer Bekanntschaft zu tun, als Faber auf dem Schiff gegen Elisabeth im Tischtennis antrat (vgl. S. 78 f.). Das Spiel zeigt, dass seine Tochter ihn gelehrt hat, die Welt mit anderen Augen zu sehen, was er in der Wüste von Tamaulipas noch verächtlich abgelehnt und als „weibisch" und „hysterisch" bezeichnet hatte (vgl. S. 25 f.). Das Flugzeug – „Wieder eine Super-Constellation" (S. 211, vgl. *Interpretationshilfe*, S. 63) – kann er sich sogar unwillkürlich als Dämon vorstellen, auch wenn er sich beeilt, diese Assoziation als nun doch unsinnig und unvernünftig von sich zu weisen:

*Mein letzter Flug! [...] Wunsch, Heu zu riechen! / Nie wieder
fliegen! / Wunsch, auf der Erde zu gehen – [...] Wunsch, die
Erde zu greifen – [...] Die Gletscherspalten: grün wie Bierfla-
schenglas. Sabeth würde sagen: wie Smaragd! Wieder unser
Spiel auf einundzwanzig Punkte! Die Felsen im späten Licht:
wie Gold. Ich finde: wie Bernstein, weil matt und beinahe
durchsichtig, oder wie Knochen, weil bleich und spröde. [...] die
Wolken: wie Watte, wie Gips, wie Blumenkohl, wie Schaum mit
Seifenblasenfarben [...] Es ist nicht einzusehen, wieso ein solches Fahrgestell, bestehend aus zwei Pneu-Paaren mit Federung
im Rohrgestell und mit Schmieröl auf dem blanken Metall, wie
es sich gehört, sich plötzlich wie ein Dämon benehmen soll,
wenn es den Boden berührt, wie ein Dämon, der die Piste plötzlich in Wüste verwandelt – Spintisiererei, die ich natürlich selber
nicht ernstnahm"* (S. 211–214)

Bis fast zuletzt kann Faber nicht ganz aus seiner Haut heraus.
Noch immer macht er sich mithilfe von Statistik und angeb-
licher Logik etwas vor:

*Meine Operation wird mich von sämtlichen Beschwerden für
immer erlösen, laut Statistik eine Operation, die in 94,6 von 100
Fällen gelingt, und was mich nervös macht, ist lediglich diese
Warterei von Tag zu Tag. Ich bin nicht gewohnt, krank zu sein.
Was mich auch nervös macht: wenn Hanna mich tröstet, weil
sie nicht an Statistik glaubt. Ich bin wirklich voll Zuversicht
[...]. Wenn es Krebs wäre, dann hätten sie mich sofort unters
Messer genommen, das ist logisch, ich habe es Hanna erklärt,
und es überzeugt sie, hoffe ich. Heute ohne Spritze! Ich werde
Hanna heiraten.* (S. 178 f.)

Ganz zuletzt jedoch erkennt er, dass er mit solchen Prognosen
nicht die Wirklichkeit erfasst, wie er immer geglaubt hat, sondern lediglich seinem **sehr menschlichen Wunsch** nachgibt,
sich sein Schicksal erträglich zu machen. Und er erkennt, dass

auch er einen Menschen braucht, der ihm beisteht, auch wenn er Hanna, so vertraut sie ihm ist, bis zuletzt nicht glaubt verstehen zu können (vgl. S. 175 und S. 209):

> *Ich weiß alles. Morgen werden sie mich aufmachen, um festzu-stellen, was sie schon wissen: daß nichts mehr zu retten ist. Sie werden mich wieder zunähen, und wenn ich wieder zum Be-wußtsein komme, wird es heißen, ich sei operiert. Ich werde es glauben, obschon ich alles weiß. [...] Das sagt man so: Wenn ich wüßte, daß ich Magenkrebs habe, dann würde ich mir eine Ku-gel in den Kopf schießen! Ich hänge an diesem Leben wie noch nie, [...] ich werde hoffen, obschon ich weiß, daß ich verloren bin. Aber ich bin nicht allein, Hanna ist mein Freund, und ich bin nicht allein.* (S. 215)

So hat Faber am Ende nicht mehr lange zu leben. Aber er begeg-net dem Tod anders, als er gelebt hat: demütiger aus Einsicht in seine hochmütigen Illusionen; weniger allein (Hanna ist sein Freund); mit einer Vorstellung, was das Leben lebenswert macht; und mit einem Vorbild (seine Tochter), das ihm diese Erkenntnis vermittelt hat: „*Verfügung für Todesfall: alle Zeugnisse von mir wie Berichte, Briefe, Ringheftchen, sollen vernichtet werden, es stimmt nichts. Auf der Welt sein: im Licht sein. [...] standhalten dem Licht, der Freude (wie unser Kind, als es sang)*" (S. 216).

Das Schubladendenken Walter Fabers – trügerische Oppositionen

Wissenschaft	Kunst, Kultur
Technik	Natur
Physik	Mythen
Zufall	Fügung
Wahrscheinlichkeit	Schicksal
Verstand	Gefühl
Sachlichkeit	Hysterie
männlich	weiblich
Erwachsener, alt	Kind, jung
Moderne	Vergangenheit
Amerika	Europa
westliche Welt	„unterentwickelte Völker"
zivilisiert	primitiv
sehen	erleben
beobachten	singen, lachen, sich freuen
Gesundheit, Leben	Krankheit, Tod
Zukunft	Vergangenheit

Elisabeth Piper

Die Begegnung mit seiner Tochter Elisabeth und ihr tragischer Tod lösen die innere Wandlung Fabers aus. Insofern spielt Elisabeth innerhalb der Geschichte eine entscheidende Rolle. Als Persönlichkeit bleibt sie jedoch vergleichsweise blass. Das ist ihr nicht anzulasten. Vielmehr zeigt es, wie sehr Faber in stereotypen Wahrnehmungsmustern befangen ist.

In vieler Hinsicht erfüllt Elisabeth – in der Beschreibung, die Faber von ihr gibt – das **Klischee** der fortschrittlichen Mädchen-Frau der Fünfzigerjahre: Sie ist **intellektuell**, aber nicht zu sehr: Sie liest Tolstoi (vgl. S. 90), besitzt einen schwarzen Rollkragen-pullover, den Faber gleich – mit erstaunlicher Kenntnis solcher Zusammenhänge – als „existenzialistisch" einordnet (vgl. S. 75), kann sich aber durchaus vorstellen, Stewardess zu werden (S. 89). Sie ist **sportlich**, aber nicht auf ‚unweibliche' Art: Sie spielt „famos" Tischtennis (S. 76) und klettert „wie eine Katze" (S. 93). Sie hat zwei charakteristische *Outfits,* ein jungenhaft-legeres – zeichenhaft hierfür steht die oft erwähnte „schwarze Cowboy-Hose" (erstmals S. 75) – und ein mädchenhaft-elegan-tes – „Sabeth in ihrem immergleichen blauen Abendkleidchen, nicht geschmacklos, aber billig" (S. 96). So entspricht sie der Männerfantasie vom jungen Mädchen, das wenig Geld hat und von daher dankbar für die Großzügigkeit des gut verdienenden älteren Mannes ist, dem seinerseits seine Großzügigkeit ein wohl-tuendes Gefühl der Überlegenheit gibt: „sie war froh um unser Wiedersehen, schien mir, wegen der Zigaretten, sie war bankrott" (S. 108); „[…] während sie das letzte Restchen ihrer Patisserie zusammenlöffelte, nur durch Erziehung daran verhindert, ihren Teller auch noch mit der Zunge zu lecken" (S. 109).

Ungeachtet ihrer guten Erziehung ist sie **lebhaft** und **impul-siv**: „Einmal überrannte sie mich fast, um den Ball zu fangen. Ohne ein Wort der Entschuldigung. Das Mädchen sah mich gar nicht." (S. 77); „Einmal filmte ich sie. / Als Sabeth es endlich entdeckte, streckte sie die Zunge heraus; ich filmte sie mit der gestreckten Zunge, bis sie, zornig ohne Spaß, mich regelrecht anschnauzte. Was mir eigentlich einfalle? Sie fragte mich rundheraus: Was wollen Sie überhaupt von mir?" (S. 92) Sie ist im Gespräch **feinfühlig** – „Das Mädchen will mich unterstützen und bringt das Gespräch, da ich die Skulpturen im Louvre nicht kenne, auf meinen Roboter" (S. 83) – und **höflich**, aber zugleich ohne besonderen Respekt: „Sabeth hörte zu, wenn ich von meinen Erfahrungen redete, jedoch wie man einem Alten zuhört: ohne zu unterbrechen, höflich, ohne zu glauben, ohne sich zu ereifern. [...] ein kindisches Vertrauen, anderseits überhaupt keinen Respekt." (S. 118) „Sabeth fand mich komisch." (S. 81) „Sabeth fand mich zynisch." (S. 99) Sie ist Kettenraucherin, was Zeichen ihrer Emanzipiertheit ist, in Fabers Sicht jedoch auch zeigt, dass sie erwachsener sein möchte, als sie in Wahrheit ist: „Sie war wirklich ein Kind, wenn auch Kettenraucherin" (S. 108).

Insgesamt erscheint sie Faber als ein lebhaftes und intelligentes Mädchen – „Sie war alles andere als dumm. Nicht viele Leute [...] begreifen so flink wie dieses junge Mädchen" (S. 80) – und zugleich als eine **attraktive junge Frau**: „Sabeth war schon eine richtige Frau, wenn sie so lag, kein Kind." (S. 88) Entsprechend weiß er nicht recht, wie er sich ihr gegenüber verhalten soll: „Sie war allen Ernstes enttäuscht, ein Kind, das ich als Frau behandelte, oder eine Frau, die ich als Kind behandelte, das wußte ich selber nicht." (S. 123 f.)

Jenseits dieser Eigenschaften, die sie dem eben beschriebenen Frauentyp zuordnen, erfährt der Leser über Elisabeth Piper nicht allzu viel: Sie ist zwanzig Jahre alt (S. 89), recht groß (vgl. S. 75) und trägt ihr rotblondes Haar zumeist als „Roßschwanz", was oft erwähnt wird (erstmals S. 75) und offenbar das Mädchenhafte und Unkomplizierte an ihr zur Geltung bringen soll. „Ihre Augen wassergrau, wie oft bei Rothaarigen." (S. 77) Sie ist Deutsche und hält Joachim Hencke für ihren Vater (vgl. S. 131 und

S. 160), ist aber vor allem von ihrer Mutter erzogen und geprägt worden (vgl. S. 218–220). Zu dieser kehrt sie gerade nach Athen zurück, nachdem sie zum ersten Mal für längere Zeit – ein halbes Jahr – selbstständig unterwegs war: Sie hat mit einem Stipendium ein Semester in Yale, an der berühmten amerikanischen Universität, studiert (S. 89). Faber ist nicht der erste Mann in ihrem Leben (S. 130).

Einige ihrer charakteristischen **Gewohnheiten und Gesten erinnern Faber an Hanna**, ihre Mutter (vgl. S. 86). So fällt ihm auf: „Sabeth rümpfte ihre Brauen (wie stets bei Späßen, die ihr eigentlich mißfallen)" (S. 80). Das kennt er von Hanna, die diese Angewohnheit, wie sich später schnell herausstellt, beibehalten hat: „Ihr Lächeln, wie stets über meine verfehlten Witze: mit einem Rümpfen ihrer Stirne zwischen den Brauen. / Sie glich ihrer Tochter schon sehr." (S. 142) Auch Elisabeths Gesicht erinnert Faber an Hanna: „Ihr Hanna-Mädchen-Gesicht!" (S. 102)

Was Faber am meisten an Elisabeth bezaubert, ist ihre große **Lebensfreude**, auf die er auch ein wenig eifersüchtig ist:

> Ich achtete drauf, was sich Sabeth eigentlich von der Zukunft versprach, und stellte fest: sie weiß es selbst nicht, aber sie freut sich einfach. Hatte ich von der Zukunft etwas zu erwarten, was ich nicht schon kenne? [...] Ich staunte manchmal, wie wenig sie brauchte, um zu singen, eigentlich überhaupt nichts; (S. 118 f.)

Elisabeth gewinnt einen immer größeren Einfluss auf Faber. Dennoch bleibt sie ihm letztlich fremd:

- „[...] küßte ich sie [...] auf ihren Mund, wobei ich erschrak. Sie war mir fremder als je ein Mädchen." (S. 103, vgl. S. 113)
- „Ich wußte immer weniger, was für ein Mädchen sie eigentlich war. Unbekümmert in welchem Sinn?" (S. 110)

Erst als sie tot ist und er in Düsseldorf die Filmaufnahmen sieht, die er von ihr gemacht hat, scheint diese **Fremdheit** ganz aufgehoben. Die Sehnsucht und die Trauer verleihen Faber die Fähigkeit zu jener selbstverständlichen Innigkeit gegenüber der toten Tochter, die er gegenüber der Lebenden nicht erreicht hatte. Seine Gedanken nehmen dabei die Form einer Litanei, einer vergeblichen Fürbitte, einer **Trauerklage** an:

Ich sehe diesen Streifen noch jetzt: / Ihr Gesicht, das nie wieder da sein wird – [...] Ihre Augen, die es nicht mehr gibt – [...] Wie Sabeth sich mit einem französischen Maulesel unterhält, der ihrer Meinung nach zu schwer beladen ist. [...] Ihre Hände, die es nirgends mehr gibt, sie streichelt den Maulesel, ihre Arme, die es nirgends mehr gibt – [...] Ihr Lachen, das ich nie wieder hören werde – / Ihre junge Stirne – [...] Ihr Gang – [...] Ihr hüpfender Gang – [...] Sabeth schlafend, ihr Mund ist halboffen, Kindermund, ihr offenes Haar, ihr Ernst, die geschlossenen Augen – / Ihr Gesicht, ihr Gesicht – / Ihr atmender Körper – [...] Sabeth nochmals beim Kämmen, ihr Haar ist naß [...] sie erzählt noch immer [...] Sabeth nochmals auf der Mole draußen, sie steht jetzt, unsere tote Tochter, und singt [...], sie glaubt sich mutterseelenallein und singt, aber unhörbar – (S. 204–208).

Faber filmt Sabeth. „Homo faber" in der Bühnenfassung von Volkmar Kamm am Salzburger Landestheater 2009

Hanna Piper

Hanna spielt sowohl in der **Vorgeschichte** des Romans wie auch in seiner **Haupthandlung** eine wesentliche Rolle.

Faber hat sie während des Studiums in seiner Heimatstadt Zürich kennen gelernt. Sie, **Halbjüdin aus München** und Tochter eines Professors, den die Nationalsozialisten in „Schutzhaft" genommen haben, studiert bei dem berühmten Kunsthistoriker Heinrich Wölfflin Kunstgeschichte, „eine Sache, die mir ferne lag, aber sonst verstanden wir uns sofort, ohne an Heiraten zu denken", wie Faber in seinem Bericht schreibt (S. 49). Faber verdient zu dieser Zeit, 1933 bis 1935, als Assistent an der Eidgenössischen Technischen Hochschule wenig Geld und schreibt an seiner Dissertation (S. 35).

Vieles an Hanna scheint Faber von Anfang an **fremd** gewesen zu sein: „Hanna war immer sehr empfindlich und sprunghaft, ein unberechenbares Temperament". Fabers Freund Joachim, der Medizin studiert, stellt die Diagnose: „manisch-depressiv." Sie neigt zu „Mißtrauen". „Ich nannte sie eine Schwärmerin und Kunstfee. Dafür nannte sie mich: Homo Faber." (alle Zitate S. 50) Dieser Spitzname zeigt, dass sie sich an Walter Fabers einseitig technischer Weltsicht stört: Faber heißt „Handwerker", durch die Bezeichnung „**Homo Faber**" macht Hanna ihren Freund spöttisch zum Vertreter einer eigenen menschlichen Sonderform. Faber wiederum verträgt schwer ihren „Hang zum Kommunistischen [...] und andererseits zum Mystischen, um nicht zu sagen: zum Hysterischen" (S. 50, vgl. auch *Interpretationshilfe,* S. 24).

Zum selben Zeitpunkt, zu dem sich Faber eine große berufliche Chance bietet (eine Stelle in Bagdad), teilt Hanna ihm mit, dass sie **schwanger** sei (S. 51). Er reagiert wenig begeistert, worüber sie sehr enttäuscht ist. Insbesondere kann sie ihm nicht verzeihen, dass er nur von ihrem („deinem") und nicht von ihrem gemeinsamen („unserem") Kind gesprochen hat. Sie erklärt, eine **Schwangerschaftsunterbrechung** vornehmen lassen zu wollen. Faber widerspricht dem Vorwurf, dass er genau das angeregt habe, macht aber auch keinen ernstlichen Versuch, ihr diesen Vorsatz auszureden (zu Fabers Einstellung gegenüber Schwangerschaftsunterbrechungen vgl. auch S. 113–116). Dann will Hanna plötzlich ihre Beziehung zu Faber beenden und nach München zurückkehren (S. 52), wo sie in Lebensgefahr sein wird (ihr Vater ist zuvor in „Schutzhaft" gestorben, vgl. S. 50). Sie lässt sich von Faber überreden, ihn zu **heiraten** (S. 60), was er ihr schuldig zu sein glaubt (vgl. auch S. 49 f.). Im letzten Moment lässt sie die Hochzeit platzen (S. 61). Faber muss unmittelbar darauf nach Bagdad. Seit jener Zeit (1936) hat Faber nichts mehr von Hanna gehört – sie hat jedoch, wie sich herausstellt, noch jahrelang Kontakt mit seinen Eltern gehabt (vgl. S. 199 f.) –, bis er 1957 zuerst ihrem ehemaligen Schwager und dann ihrer Tochter begegnet, ehe er sie zuletzt selbst in Athen wiedertrifft.

Die **Erwähnungen Hannas** in den Gesprächen zwischen Faber und Hencke am Anfang des Romans zeigen, wie wichtig Hanna Faber immer noch ist. Er denkt viel an sie und träumt sogar von ihr (vgl. S. 30 f., 34 f., 38, 47). Als er während der Schiffsreise Elisabeth kennen lernt, erinnert diese ihn unwillkürlich an ihre Mutter Hanna (S. 85 f.). Später berichtet Faber über seine erste Erfahrung mit einer Frau, die insgesamt quälend verläuft. Bekenntnishaft beendet Faber diesen Exkurs mit der Feststellung: „Nur mit Hanna ist es nie absurd gewesen." (S. 108)

Im Verlauf der Autoreise mit Elisabeth ist mehrmals beiläufig von deren Mutter die Rede. Sie macht sich „immer Sorgen" um ihre Tochter (S. 109), der sie all die „gescheiten Wörter" vermittelt hat, die Elisabeth bei den Besichtigungen von Kunstdenkmälern zur Verfügung stehen (S. 121; Faber findet, es handle sich um „highbrow-Vokabular", also um Begriffe, mit denen man andere Menschen durch elitäre Bildung beeindrucken möchte). Auch teilt Elisabeth den „Ausspruch ihrer Mama" mit, „jeder Mensch könne ein Kunstwerk erleben, nur der Bildungsspießer nicht" (S. 119). Sie erzählt Faber auch einiges über das Leben ihrer Mutter, worauf dieser nicht sehr neugierig gewesen zu sein behauptet, „da ich intellektuelle Damen nicht mag" (S. 122). Elisabeths Mutter hat Philologie studiert, arbeitet jedoch in Athen in einem Archäologischen Institut. Sie lebt von ihrem zweiten Mann, Herrn Piper, getrennt, der Kommunist ist und aus Überzeugung in Ost-Berlin lebt. Auch das Westdeutschland der Fünfzigerjahre ist ihr nicht sympathisch, daher ist sie nach Griechenland gegangen. Kurz darauf macht Faber die Entdeckung, dass Elisabeths Mutter, diese übermäßig „gescheite Dame", die offenkundig „Pech [...] mit den Männern" gehabt hat (S. 122), seine ehemalige Freundin und Braut Hanna ist (S. 125–128). Fabers gehässige Kommentar fällt damit auf ihn selbst zurück. Freilich hat er insgeheim schon längst geahnt beziehungsweise gefürchtet, dass Hanna Elisabeths Mutter ist. Sein demonstratives Desinteresse kann als Versuch gedeutet werden, das nicht geradezu Offenkundige, aber doch Wahrscheinliche zu verleugnen.

Hanna geistert, in Fabers Erinnerungen und in ihren Erwähnungen durch ihren ehemaligen Schwager und ihre Tochter, also schon lange durch Fabers Bericht, bevor sie sozusagen auch körperlich in die Handlung eintritt. Entsprechend ist der Leser auf sie besonders gespannt.

Als Faber in Athen im Krankenhaus erwacht, ist Hanna bei ihm. „Ich erkannte sie schon, bevor ich erwacht war." (S. 135) Diese Bemerkung deutet darauf hin, wie sehr Faber insgeheim dieses Wiedersehen herbeigesehnt hat. Sein **erster Eindruck** ist dann folgender: eine Dame, die eine Ärztin sein könnte, „eine Anwältin oder so etwas" (S. 136); eine „kleine Gestalt", „sportlich, geradezu mädchenhaft" wirkend, „graues [...] kurzgeschnittenes Haar", blaue Augen im gebräunten Gesicht, das „von einem alten Indio sein" könnte; sie trägt eine schwarze Hornbrille und hat ein Jackett übergezogen. Sie raucht und blickt ihn an, ohne ihn zu begrüßen, ohne zu sprechen. Sie ist Faber nach all den

Jahren **sofort wieder vertraut**. Trotzdem staunt er, insbesondere über ihre Sachlichkeit: „ein Mann, ein Freund, hätte nicht sachlicher fragen können". Als sie sich danach erkundigt, was Faber „mit dem Kind" gehabt habe, ist sie aber offenkundig sehr nervös (S. 137).

Sie nimmt Faber mit zu sich nach Hause. Ihre Wohnung ist „voller Bücher", „wie bei einem Gelehrten", im Übrigen aber modern eingerichtet, wie Faber auffällt. Er versucht einen Witz und bemerkt anerkennend, sie sei „ja fortschrittlich geworden!", was Hanna nur ein Lächeln entlockt (S. 144 f.; vgl. S. 142: „Ihr Lächeln, wie stets über meine verfehlten Witze"). Hanna lebt von ihrem eigenen Geld, ohne Fernseher, ohne Auto, „aber dennoch zufrieden". „Hanna brauchte mich nicht" (S. 145); ebenso wenig wie sie ihren Mann braucht, von dem sie als „[d]e[m] Piper" spricht (S. 145).

Immer wieder stellt Faber fest, wie vertraut ihm Hanna nach wie vor ist (vgl. S. 144, 158). Zugleich aber kommt sie ihm auch wie **eine Fremde** vor: „ab und zu wundert es mich, daß man sich so ohne weiteres duzt." (S. 143)

Über die sehr guten Chancen Elisabeths, den Schlangenbiss zu überstehen, versucht Faber Hanna mithilfe der **Statistik** zu beruhigen, doch Hanna hält nicht viel von Statistik (S. 141, 146, 148, 153 f.). Sie möchte auch ihre **alleinige Zuständigkeit für ihre Tochter** nicht mit Faber teilen (S. 142, 148 f. 165 f.). Faber wirft ihr deswegen vor, dass sie sich „wie eine Henne" aufführe (S. 148 f.), was Hanna trifft, wohl, weil sie spürt, dass an diesem Vorwurf etwas dran ist (vgl. S. 218). Kurz bevor Faber am Ende des Romans operiert wird, bittet ihn Hanna in diesem Zusammenhang um Verzeihung. Das ist Faber, der sich für den eigentlich Schuldigen hält, unangenehm, zeigt ihm jedoch, dass auch Hanna erkannt hat, dass es nicht richtig war, Faber seine Tochter vorzuenthalten (S. 220). Zunächst hatte Hanna energisch **seine Vaterschaft bestritten** (S. 143, 149, 157, 159). Erst an der

Unglücksstelle gesteht sie ein – nachdem Faber ihr den vollständigen Hergang des Unfalls geschildert hat, was ihn einige Überwindung kostet –, dass er Elisabeths Vater ist (S. 171 f.).

Wiederholt erklärt sie, dass sie ihr **Leben verpfuscht** habe, auch wenn Faber dagegenhält, dass er einen ganz anderen Eindruck habe. Aus dem, was der Leser über ihr Leben erfährt, lässt sich ableiten, dass Hanna Zeit ihres Lebens mutig und selbstständig, aber immer auch sehr eigenwillig war und nirgends zur Ruhe gekommen ist (S. 151, 155 f., 198–201, 216–220). Ihre **Biografie** ist **international**: Sie ist in München-Schwabing aufgewachsen (S. 198 f.), hat in Zürich studiert, nach der Trennung von ihrem ersten Mann Joachim in Paris gelebt – *„1938–1940 [...] mit einem französischen Schriftsteller, der ziemlich bekannt sein soll"* (S. 200) –, arbeitete während des Zweiten Weltkriegs in London als Sprecherin bei der BBC – „Heute noch ist sie britische Staatsbürgerin" (S. 155) – und heiratete nach dem Krieg „aus einem Lager heraus [...] ohne viel Besinnen" den ostdeutschen Kommunisten Piper, der ihr sein Leben verdankt (S. 155 f.), womit deutlich wird, dass es sich hierbei mehr um einen Akt der Menschlichkeit als um Liebe gehandelt hat. Ihre eigene Existenz ist offenkundig tief geprägt durch die **Erfahrung des Exils**, des Verlusts der Heimat. Ihr eigener Vater ist in einem Lager umgekommen. Insofern hat diese zweite Heirat, die Rettung Pipers, auch viel mit ihrer eigenen Biografie zu tun. Dieser Umstand erklärt vielleicht, warum sie den Namen Piper beibehalten hat, auch nachdem sie sich von ihrem zweiten Mann getrennt hat.

Unter Fabers Aufzeichnungen über das, was Hanna ihm im Krankenhaus von sich erzählt, gibt es eine Andeutung darüber, dass Hanna jedoch schon als Mädchen, also bereits vor ihrer Exilerfahrung, den **Wunsch** hatte, **sich gegen die Männer** und eine männlich eingerichtete Welt **zu behaupten**, wobei sie auch vor Gott als dem höchsten Repräsentanten der patriarchalen Ordnung nicht Halt machte:

*Einmal, als Kind, hat Hanna mit ihrem Bruder gerungen und
sich geschworen, nie einen Mann zu lieben, weil es dem jüngeren Bruder gelungen war, Hanna auf den Rücken zu werfen.
Sie war dermaßen empört über den lieben Gott, weil er die
Jungens einfach kräftiger gemacht hat, sie fand ihn unfair, nicht
ihren Bruder, aber den lieben Gott. Hanna beschloß, gescheiter
zu sein als alle Jungens von München-Schwabing, und gründete
einen geheimen Mädchenklub, um Jehova abzuschaffen.* (S. 198)

Auch in der Erzählgegenwart hält sie noch an der Überzeugung
fest, dass die **Frauen** die **„Proletarier der Schöpfung"** seien
(S. 152). Die Männer hält sie für „borniert" (S. 151), sie hörten
nur sich selbst. Und der immer gleiche Fehler, den die Frauen
machten, sei, vom Mann verstanden werden zu wollen. Das
Ergebnis eines solchen Wunsches sei ein verpfuschtes Leben.
Hanna, deren Ideen über Mann und Frau sehr von den Theorien
der französischen Schriftstellerin **Simone de Beauvoir** durch-
drungen sind – besonders von deren Buch *Das andere Geschlecht*
(1949) –, glaubt, der Mann sehe „sich als Herr[n] der Welt, die
Frau nur als seinen Spiegel" (S. 152). Als Faber äußert, er habe
immer gemeint, sie sei wütend auf ihn, weil er sie damals nicht
geheiratet habe, lacht sie ihn aus. Sie erklärt im Gegenteil, dass
eine solche Heirat „ein Unglück gewesen" wäre (S. 146).

Hannas Haltung gegenüber Faber ist zwiespältig. Sie hält ihn
zunächst auf Distanz und fragt ihn bereits am ersten Tag ihres
Wiedersehens einmal ungeduldig: „Was willst du überhaupt
von mir?" (S. 149) Es ist dieselbe Frage, die Elisabeth ihm unge-
halten gestellt hat, als er sie auf dem Schiff gefilmt hat und damit unerlaubt in ihre Privatsphäre eingedrungen ist (S. 92).

Als Faber am nächsten Tag Hannas Kopf zwischen seine Hände
nimmt, um ihre Aufmerksamkeit zu erzwingen – sie hat ihn zuvor nach seinem Eindruck den ganzen Morgen lang nicht angesehen –, wehrt sie sich und sagt, er sei „fürchterlich" (S. 167),

woraufhin er sie küsst. Danach schweigt sie und er hat das Gefühl, dass sie ihn verfluche. Der Anfang dieser kurzen Szene (ihr Kopf zwischen seinen Händen, ihr Hinweis: „du tust mir weh") ist übrigens – nicht von ungefähr – eine genaue Wiederholung eines Vorfalls zwischen Faber und Elisabeth, während Faber diese über ihre Mutter ausfragt (S. 130). Bei anderer Gelegenheit starrt Hanna Faber an, als sei er ein „Monstrum" – so jedenfalls empfindet es Faber (S. 152).

Sie wirft Faber vor, „stockblind" zu sein (S. 156). Dieses Bild verweist auf ein weiteres wichtiges Moment ihrer Persönlichkeit und ihres Verhältnisses zu Männern. *„Der einzige Mann"*, dem sie in ihrem Leben vertraut hat, erfährt Faber im Krankenhaus, *„war ein Greis namens Armin, der in ihren Mädchenjahren eine gewisse Rolle gespielt hat. [...] Er war ein Blinder. Hanna liebt ihn noch, obschon er längst gestorben, beziehungsweise verschollen ist. [...] Armin war vollkommen blind, aber er konnte sich alles vorstellen, wenn man es ihm sagte."* (S. 199) **Armin** ist in dieser Beziehung unverkennbar die Gegenfigur zu Faber, der, als Hanna ihm vorwirft, stockblind zu sein, selbstbewusst und ignorant zugleich antwortet: „Ich sehe nur, [...] was da ist." (S. 156) Erst ganz zuletzt, als er im Flugzeug zu Hanna zurückkehrt, lernt Faber, auch das zu **sehen, was nicht da ist**: „eine Zeit lang gibt es noch Herden, weidend am Rand des möglichen Lebens, Blumen – ich sehe sie nicht, aber weiß es – bunt und würzig aber winzig [...]." (S. 212). Diese Fähigkeit hat ihm Hannas Tochter vermittelt (vgl. S. 163–165). So schließt sich der Kreis. Faber hat sich so gewandelt, dass Hanna ihm am Ende vertrauen und aus ihrem Leben erzählen kann. In diesem **Vertrauen** gipfeln ihre positiven Gefühle gegenüber Faber, die sich aber auch zuvor bereits bemerkbar machen.

Faber selbst kommt nach dem ersten Eindruck noch mehrmals auf ihr Aussehen zu sprechen und registriert mit Respekt und Rührung an Hanna die **Spuren des beginnenden Alters**

(S. 150, 153, 167). Ihr Verhalten ihm gegenüber erscheint ihm „rührend, dabei immer sachlich" (S. 145). Hanna ist, wie sich zeigt, ein beherrschterer Mensch als er selbst. Wiederholt wundert sich Faber über ihre **Sachlichkeit** (S. 157–159, 166, 171). Auch ihr **Realitätssinn** ist besser ausgeprägt als seiner (S. 150, 172). Diese innere Kontrolle ist es, die Faber bis zum Schluss das Gefühl gibt, Hanna nicht wirklich zu verstehen (S. 209). Sie passt nicht in das stereotype Bild, das er von Frauen hat. Und sie gibt, was Faber zuzugestehen ist, nicht viel von sich preis. So ist es nicht allzu erstaunlich, dass Hanna Faber nur in jenen **Momenten** verständlich wird, **in denen sie die Kontrolle verliert**: als sie – heimlich – weint (S. 162) und in ihrer ohnmächtigen Wut am Totenbett ihrer gemeinsamen Tochter Elisabeth nach ihm schlägt (S. 173).

Hannas Einstellung gegenüber Männern

Verhalten gegenüber Walter Faber
- seine ablehnende Haltung zu ihrer Schwangerschaft (vgl. „dein Kind", S. 51 f.) deutet sie als Ausdruck mangelnder Liebe
- Trennung; Geburt der gemeinsamen Tochter Sabeth ohne Fabers Wissen

Verhalten gegenüber Joachim Hencke
- 1937: Heirat mit dem Studienfreund Fabers
- verweigert ihm ein gemeinsames Kind
- Verhinderung einer Vaterrolle; Mutteregoismus
- Trennung 1938

Generelle Aussagen über Männer
- „komisch", „borniert"
- Männer können Frauen nicht verstehen
- Selbstbezogenheit
- Herren der Welt; Frauen nur ihr Spiegel
- Unterdrücker (Frau als „Proletarier der Schöpfung", vgl. Beauvoir)

Feministische Gegenposition zu Fabers reaktionärem Frauenbild
- negatives Männerbild
- Emanzipation vom Mann

Herbert Hencke

Fabers Begegnung mit Herbert Hencke bildet in doppelter Weise das **Vorspiel zu seiner Begegnung mit seiner Tochter**. Hier wie dort trifft Faber einen ihm fremden Menschen, der ihn jedoch an einen ihm sehr vertrauten Menschen erinnert:

- „Ich weiß nicht, warum er mir auf die Nerven ging, irgendwie kannte ich sein Gesicht, ein sehr deutsches Gesicht." (S. 8)
- „Es hatte keinen Zweck, die Augen zu schließen, ich war einfach wach, und mein Nachbar beschäftigte mich ja doch, ich sah ihn sozusagen mit geschlossenen Augen." (S. 9)
- „Sein Gesicht (rosig und dicklich, wie Joachim nie gewesen ist) erinnerte mich doch an Joachim." (S. 11)

Vor dem Hintergrund von Fabers Entdeckung, dass seine Reisebekanntschaft Herbert der Bruder seines früheren Freundes Joachim ist (vgl. S. 27), erhält seine spätere Entdeckung, dass seine Reisebekanntschaft Sabeth die Tochter Hannas ist, den Charakter eines *déjà vu,* wodurch Fabers Blindheit gewissermaßen zusätzlich akzentuiert wird.

Fabers Begegnung mit Herbert ist aber auch insofern ein Vorspiel seiner Begegnung mit Elisabeth, als Faber Elisabeth nie getroffen hätte, hätte er Herbert nicht getroffen, seine Dienstreise abgebrochen und ihn zu Joachim begleitet. Die **Begegnung mit Herbert** ist die **Initialzündung für eine Kette von unvorhersehbaren Ereignissen und Entschlüssen**, die auf Elisabeths tödlichen Unfall zulaufen.

Über Herbert Hencke selbst gibt es nicht viel zu sagen. Auf dem Flug von New York nach Mexiko-City sitzt er neben Faber. So lernen sie sich kennen. Er kommt, wie er gleich mitteilt, aus Düsseldorf und ist auf dem Weg zu einer Plantage in Guatemala, die seine Firma zu einer Tabakfarm ausbauen will (S. 8 und S. 15). Faber schätzt ihn auf „anfangs Dreißig", er ist also erheblich jünger als Faber, der wenig später 50 Jahre alt wird (S. 95), und als sein Bruder Joachim, der Fabers engster Studienfreund war.

Faber ist unhöflich, sein Nachbar geht ihm auf die Nerven: „ich wollte Ruhe haben, Menschen sind anstrengend." (S. 8) Herbert lässt sich jedoch nicht abwimmeln. Er ist hilfsbereit, höflich und leutselig (S. 10). Seine **Ansichten** über Deutschland und den Rest der Welt zeugen allerdings nicht von der Fähigkeit, selbstständig zu denken: „im ganzen fand er die Amerikaner kulturlos [...] Kein Deutscher wünsche die Wiederbewaffnung, aber der Russe zwinge Amerika dazu, Tragik, [...] er kenne den Iwan, der nur durch Waffen zu belehren sei. [...] Unterscheidung nach Herrenmenschen und Untermenschen, wie's der gute Hitler meinte, sei natürlich Unsinn; aber Asiaten bleiben Asiaten –" (S. 9 f.).

Faber und Herbert kommen sich erst näher, als Herbert von den Plänen seiner Firma berichtet – es interessiert Faber, „insofern ich ja auch mit der Nutzbarmachung unterentwickelter Gebiete beschäftigt bin" (S. 15) – und als er in Herbert nach der Notlandung einen Schachpartner findet (S. 24). Die Vorliebe fürs Schachspiel ist bezeichnend für Fabers Bedürfnis nach Berechenbarkeit. Faber findet nicht nur heraus, dass Herbert Hencke Joachims Bruder ist, sondern darüber hinaus, dass Herbert auch der Schwager Hannas ist. Diese überraschende Information macht Herbert für Faber zusätzlich interessant. Herberts **Funktion innerhalb der Romanhandlung** liegt auch darin, Hanna ins Spiel zu bringen – an der er selbst übrigens gar nicht sonderlich interessiert ist, wie seine beiläufigen Auskünfte zeigen (S. 30, 34, 38).

Kurz bevor sich ihre Wege normalerweise trennen müssten, beschließt Faber, Herbert zur Plantage in Guatemala zu begleiten, die Joachim bewirtschaftet. Nur unter vielen Schwierigkeiten gelangen sie dorthin (vgl. S. 36–58). Zwischendurch ist Herbert mehrmals nahe dran, die **Nerven zu verlieren** (vgl. S. 43 f., 53 und 57). Er ist offenkundig nicht für diese tropische Gegend gemacht. Trotzdem lässt er sich nicht davon abbringen, anstelle seines toten Bruders, der sich an einem Draht erhängt hat, die Leitung der Plantage zu übernehmen (S. 59).

Gegen Ende des Romans macht sich Faber noch einmal auf den beschwerlichen Weg zur Plantage, um nach Herbert Hencke zu sehen. „Herbert war verändert, man sah es auf den ersten Blick, Herbert mit einem Bart, aber auch sonst – sein Mißtrauen: ‚Mensch, was willst denn du hier?' / Herbert [...] glaubt nicht, daß ich gekommen bin, bloß um ihn wiederzusehen, aber es ist so; man hat nicht soviel Freunde." (S. 180 f.) Bei dieser zweiten und abschließenden Begegnung von Faber und Herbert haben sich **die Verhältnisse umgekehrt**: Nun ist Herbert der Abweisende, Misstrauische, Sarkastische, während Faber sich um den anderen bemüht. Beide haben eine Entwicklung durchgemacht. Herberts Brille ist zerbrochen, das Auto (ohne das er die Plantage nicht mehr verlassen kann) „in einem sagenhaften Zustand" (S. 181), er selbst apathisch und ohne alle Pläne. Faber flickt die Brille und repariert das Auto. Es gelingt ihm jedoch nicht, Herbert aus seinem hoffnungslosen Zustand herauszureißen. Noch immer kommt Faber mit technischen Problemen besser zurecht als mit menschlichen. Schließlich reist er wieder ab.

Diese Episode zeigt, dass Faber, der Einzelgänger, am Ende die Freundschaft entdeckt. Auch Hanna bezeichnet er ja – durchaus merkwürdig – als „seinen Freund": *„Aber ich bin nicht allein, Hanna ist mein Freund, und ich bin nicht allein."* (S. 215) Herbert Hencke hingegen bietet ein warnendes Beispiel dafür, wie man sich verändern kann, wenn man sich von den Menschen absondert und zu lange allein ist.

Marcel

Marcel ist ein junger Amerikaner französischer Herkunft, Musiker und Mitglied des berühmten Boston Symphony Orchestra (vgl. S. 40, 44, 60). Er ist während des fünftägigen Aufenthaltes von Faber und Herbert Hencke in Palenque (S. 40–48) der einzige weitere ausländische Gast im Ort. Mit Enthusiasmus besichtigt und erforscht er die Ruinen der indianischen Pyramiden, die sich in der Nähe befinden. Ihm gelingt es schließlich, den Wirt des Hotels zu überreden, ihnen den Jeep zu leihen, den Herbert Hencke und Faber zur Weiterfahrt zur Plantage benötigen. Marcel schließt sich den beiden an, weil es in Guatemala weitere Maya-Ruinen gibt, die er besichtigen möchte (S. 48).

Maja-Ruinen
in Palenque
(Mexiko)

Faber äußert sich über Marcel zunächst sehr ironisch: „ein junger Amerikaner, der zuviel redete, aber zum Glück war er tagsüber immer weg" (S. 40). „Manchmal ging er mir auf die Nerven wie alle Künstler, die sich für höhere oder tiefere Wesen halten, bloß weil sie nicht wissen, was Elektrizität ist." (S. 42) Herablassend spricht er von „unserem Ruinen-Freund" (S. 47, vgl. auch S. 42 und 48) oder von „unsere[m] Künstler" (S. 44). Er ist aber auch ein wenig beeindruckt von Marcels **Hingabe an seine Arbeit**, auch wenn ihm viele seiner Meinungen gegen den Strich gehen und er sich über ihn lustig macht: „ich staunte über unseren Pauspapier-Künstler, der an der prallen Sonne arbeiten konnte und dafür seine Ferien hergibt, seine Ersparnisse, um Hieroglyphen, die niemand entziffern kann, nach Haus zu bringen – / Menschen sind komisch!" (S. 46, vgl. auch S. 45 und 47)

Marcel beschäftigt Faber, weil er in Palenque sonst nichts zu tun hat, aber auch, weil sich Marcels Interessen und Einstellungen so sehr von seinen eigenen unterscheiden. **Die Auseinandersetzung mit Marcel bereitet Faber auf** seine Auseinandersetzungen mit **Elisabeth und Hanna vor**. Beiden ist Marcel in entscheidenden Zügen ähnlich. Faber fällt dies selbst auf: „Er findet es [die Lebensweise der Maya] sinnvoll, obschon unwirtschaftlich, geradezu genial, tiefsinnig (profond), und zwar im Ernst. / Manchmal mußte ich an Hanna denken – " (S. 47).

Mit Elisabeth und Hanna teilt Marcel das tiefe Interesse für Kunstdenkmäler. Alte Zivilisationen sind für alle drei nicht einfach primitiv wie für Faber. An ihnen lässt sich vielmehr eine Lebenskunst studieren, die in der modernen, technisch geprägten Zivilisation zurückgedrängt worden ist. Insofern ist es nur konsequent, dass sich Marcel, der sonst allem positiv gegenübersteht, vehement **gegen den amerikanischen Lebensstil** wendet:

er schwatzte wieder die halbe Nacht lang: [...] vom Untergang der weißen Rasse [...], vom katastrophalen Scheinsieg des abendländischen Technikers [...] über die indianische Seele [...], ganze Vorträge über die unweigerliche Wiederkehr der alten Götter [...] und über das Aussterben des Todes (wörtlich!) dank Penicillin [...] Ich sagte: Künstlerquatsch! und wir ließen ihm seine Theorie über Amerika, das keine Zukunft habe, The American Way of Life: *Ein Versuch, das Leben zu kosmetisieren, aber das Leben lasse sich nicht kosmetisieren –* (S. 54).

Die Äußerungen Marcels nehmen wesentliche Themen des Romans vorweg. Auch wenn Faber diese Ideen für unsinnig erklärt, wirken sie doch in ihm nach: Während der Schiffsreise betrachtet er mit Missvergnügen die mitreisenden Damen: „ich musterte sämtliche Damen, die keine jungen Mädchen mehr sind, [...] ganz sachlich. [...] Allerlei Verbrauchtes, allerlei, was vermutlich nie geblüht hat, lag auch da, Amerikanerinnen, die Geschöpfe der Kosmetik. [...] So wird Hanna nie aussehen." (S. 85 f.)

Einige Wochen – und einschneidende Erfahrungen – später kommt Faber auf Kuba zu dem Schluss, dass Marcel Recht habe:

> *Mein Zorn auf Amerika! [...] The American Way of Life! / Mein Entschluß, anders zu leben – [...] The American Way of Life: / Schon ihre Häßlichkeit, verglichen mit Menschen wie hier [...] Ausverkauf der weißen Rasse [...] Mein Zorn auf mich selbst / (Wenn man nochmals leben könnte.) [...] Was Amerika zu bieten hat: Komfort, die beste Installation der Welt, ready for use, die Welt als amerikanisiertes Vakuum, wo sie hinkommen, alles wird Highway [...], Klimbim, infantil [...]. Marcel hat recht: ihre falsche Gesundheit, ihre falsche Jugendlichkeit, [...] ihre Kosmetik noch an der Leiche, überhaupt ihr pornografisches Verhältnis zum Tod [...]."* (S. 190–192)

Faber schreibt in Havanna sogar einen Brief an Marcel, den er jedoch wieder zerreißt, „weil unsachlich" (S. 192). Er kann nun die Leidenschaft nachvollziehen, mit der sich Marcel über die Folgen der Amerikanisierung auch der entlegensten Winkel der Welt ereifert hatte. In Palenque erlebten die drei Fremden ein Fest mit; „die Mädchen trugen keine Trachten wie sonst, sondern amerikanische Konfektion zur Feier ihres Mondes, ein Umstand, worüber Marcel, unser Künstler, sich stundenlang aufregte. Ich hatte andere Sorgen!" (S. 48) Diese arrogante und ignorante Haltung hat Faber nun überwunden. Sich in einem Brief dazu zu bekennen, ist ihm jedoch immer noch peinlich.

Dafür singt er (S. 190 und 197). Den Gesang übernimmt er von seiner Tochter (vgl. S. 119 und 165). Doch auch für Marcel ist das Singen charakteristisch: „Obschon er hinten saß, wo es ihn hin und her schleuderte, pfiff er wie ein Bub und freute sich wie auf einer Schulreise, stundenlang sang er seine französischen Kinderlieder" (S. 53, vgl. auch S. 54). In seiner Fähigkeit, sich kindlich und vorbehaltlos zu freuen und dies auch zum Ausdruck zu bringen, gleicht Marcel Fabers Tochter Elisabeth. Beide werden Faber zum Vorbild.

Ivy

Ivy ist Fabers 26-jährige (S. 66) Geliebte, die er nicht mehr liebt und vielleicht nie geliebt hat: „Ich habe Hanna nicht geheiratet, die ich liebte, und wieso soll ich Ivy heiraten?" (S. 32) Bevor die Haupthandlung des Romans beginnt – Fabers verhängnisvolle Verliebtheit in seine Tochter –, macht er mit Ivy Schluss: zunächst brieflich von der Wüste Tamaulipas aus (S. 32 f.), dann – Ivy hat Fabers „Wüsten-Brief" einfach ignoriert (S. 62) – während seines kurzen Aufenthaltes in New York (S. 62–73). Ivy ist demnach **Teil der Vorgeschichte**. Sie steht für Fabers Verhältnis zu Frauen vor der Begegnung mit seiner Tochter.

Ivy ist sehr attraktiv. Selbst als Faber fest entschlossen ist, sich von ihr zu trennen, gelingt es ihr noch zwei Mal, ihn dazu zu bewegen, mit ihr zu schlafen. Faber weiß nicht, ob sie das tut, weil sie ihn wirklich liebt (vgl. S. 62 f.), oder ob sie sich nur an ihm rächen will, indem sie ihn demütigt und ihm beweist, welche Macht sie über ihn hat (vgl. S. 66 f. und 70 f.). Faber neigt zu der zweiten Annahme, auch wenn er sie zuletzt wieder versöhnlich einen **„lieben Kerl"** nennt, was seine gewöhnliche Bezeichnung für sie ist: „Ein lieber Kerl! dachte ich, obschon ich Ivy nie verstanden habe", kommentiert Faber ihren Abschied im New Yorker Hafen (S. 73, vgl. auch S. 33).

Faber versteht Ivy nicht, weil er sich keine Mühe gibt, sie zu verstehen. Ivy ist für ihn nicht mehr als ein **Typus**; sie ist „wie alle Frauen": „Ivy heißt Efeu, und so heißen für mich eigentlich alle Frauen." (S. 99) Das wenige, was er über Ivy weiß, ist: Sie stammt „aus der Bronx" – also dem New Yorker Stadtteil, in dem vorwiegend einkommensschwache Arbeiterfamilien wohnen –, redet nicht über ihre Eltern und sagt über sich: „I'm just a dead-end kid!" (S. 73; wörtlich: *Ich bin nur ein Kind der Sackgasse;* also ein Kind ohne Perspektive und Zukunft). „[...] sonst wußte ich wirklich nichts von Ivy" (S. 73), erklärt Faber, offenkundig ohne das seltsam zu finden. Im Gegenteil ist dieses erklärte Nichtwissen wohl eine Art von selbstgefälliger Pose, denn tatsächlich weiß Faber noch ein wenig mehr über Ivy: Sie ist – offenbar nicht zum ersten Mal – verheiratet, ihr gegenwärtiger Mann ist Beamter in Washington; nach New York kommt sie regelmäßig, weil sie dort ihren Psychiater aufsucht (S. 32); sie ist Mannequin und wählt „ihre Kleider nach der Wagenfarbe, glaube ich, die Wagenfarbe nach ihrem Lippenstift oder umgekehrt, ich weiß es nicht" (S. 33). Faber wirft sie vor, keinen Geschmack zu haben, „ich sei ein Egoist, ein Rohling, ein Barbar in bezug auf Geschmack, ein Unmensch in bezug auf die Frau." (S. 33) Sie möchte, dass Faber sie heiratet – warum, bleibt unklar –, was aber für Faber überhaupt nicht in Frage kommt (vgl. S. 33). Faber spricht gerne in einem herablassenden und ironischen Ton von ihr. Er nimmt sie nicht ernst: „Wenn ich Ivy umarme und dabei denke: Ich sollte meine Filme entwickeln lassen, Williams anrufen! Ich könnte im Kopf irgendein Schach-Problem lösen, während Ivy sagt: I'm happy, o Dear, so happy, o Dear, o Dear! Ich spüre ihre zehn Finger um meinen Hinterkopf, sehe ihren epileptisch-glücklichen Mund und das Bild an der Wand, das wieder schief hängt [...]." (S. 101) Weil er nicht über sie nachdenkt, ist es kein Wunder, dass **sein Versuch, sie zu charakterisieren, zusammenhanglos und unernst** bleibt:

> [...] ich wußte, daß sie zähe ist. – Sonst wußte ich wenig von Ivy. – Sie ist katholisch, Mannequin, sie duldete Witze über alles, bloß nicht über den Papst, vielleicht ist sie lesbisch, vielleicht frigid, es war ihr ein Bedürfnis, mich zu verführen, weil sie fand, ich sei ein Egoist, ein Unmensch, sie ist nicht dumm, aber ein bißchen pervers, so schien mir, komisch, dabei ein herzensguter Kerl, wenn sie nicht geschlechtlich wurde ... (S. 69)

Insgesamt erscheint Ivy als sehr amerikanisch, als typische – und recht sympathische – Vertreterin des *American Way of Life,* den Marcel so grundsätzlich kritisiert und den auch Faber am Ende verabscheut. Auch an ihr wird Fabers innere Wandlung deutlich.

Faber und die Frauen

Die Professorengattin

- Fabers erste Affäre
- deutlich älter als Faber damals, lungenkrank, verheiratet
- prägt Fabers Einstellung zu Frauen: Körperlichkeit als Bedrohung, Sexualität als absurd, pervers („wenn sie meinen Bubenkörper küsste, kam sie mir wie eine Irre vor oder wie eine Hündin", S. 107)

Ivy

- junge, attraktive Geliebte Fabers
- verheiratet
- amerikanischer Lebensstil
- von Faber auf Äußerlichkeiten reduziert (Autos, Kleider, Beruf)
- klischeehaftes, unterwürfiges Verhalten (Ivy = Efeu: anhänglich, klammernd, lästig, fesselnd)
- ihr Sexualtrieb verstört Faber
- Faber als bindungsunfähiger Egozentriker ohne echtes Interesse an ihrer Person

*unterlegenes
Objekt*

*unterlegenes
Objekt*

Walter Faber

*Ersatzbeziehung?
Vermittlerin zu Hanna*

*gleichberechtigte Partnerin
einzige wirkliche Liebe*

Sabeth

- Klischee der Mädchenfrau (rote Haare, Pferdeschwanz, Cowboyjeans, Espadrilles)
- jung, naiv, attraktiv, spontan, erlebnisfähig, unbeschwert
- Studentin, Vorliebe für Kunst
- uneheliche Tochter Fabers aus der Beziehung mit Hanna
- (unwissentliche?) Inzest-Beziehung, ungelöste Schuldfrage

Hanna

- unvergessene Jugendliebe Fabers
- Inbegriff der emanzipierten Frau: selbstständig, unabhängig von Männern, alleinerziehend
- Halbjüdin
- Archäologin, Interesse für Kunst und Kultur
- erschüttert Fabers stereotypes Frauenbild, tritt ihm gleichberechtigt bzw. überlegen gegenüber
- Liebe und Sexualität gehören zusammen („Nur mit Hanna ist es nie absurd gewesen.", S. 108)

3 Zentrale Aspekte und Motive

Mit den Mitteln einer raffinierten Montagetechnik integriert Max Frisch bestimmte Überlieferungen – vor allem aus der **griechischen Mythologie** – als zusätzliche Bedeutungsschicht in seinen Roman. Er bezieht sich dabei in erster Linie auf diejenigen Mythen, die die spannungsreichen Beziehungen innerhalb der Kernfamilie ausdeuten. Die Figurenkonstellation des Romans (Faber – Elisabeth; Faber – Hanna; Hanna – Elisabeth) greift ja die anthropologischen Urmuster Vater – Tochter, Mann – Frau und Mutter – Tochter deutlich auf. In den Mythen der griechischen Antike sind diese Konstellationen – und die Konflikte, die sie mit sich bringen – vorgeformt.

Dabei lassen sich die Figuren des Romans jeweils zugleich auf mehrere mythologische Gestalten beziehen. Elisabeth kann beispielsweise als Hermes, Aphrodite, Persephone (Kore) oder Antigone betrachtet werden. Darüber hinaus verbindet Frisch Motive aus älteren und neueren Überlieferungen miteinander: So spielt er etwa auch mit den wörtlichen Bedeutungen mancher moderner Produktnamen, sodass sich verschiedene Deutungen überlagern können, wodurch die mythologische Bedeutungsschicht des Romans insgesamt vielschichtig und komplex wird.

Zentrale Anspielungsbereiche des Romans sind: das Reisen, der Todesbote, die Motive des Spiegels und der Blindheit, der Demeter-Persephone (Kore)-Mythos und die schlafende Erinnye.

Reisen

Die Reisen Fabers sind Bewusstseinsreisen. Begleiter auf diesen Reisen des Protagonisten sind Verkörperungen des Gottes Hermes, des jugendlichen Götterboten, der auch als Gott der Reisenden fungiert. Als *Hermes psychopompos,* als Seelengeleiter, führt er zudem die Seelen der Verstorbenen in den Hades, in die Unterwelt. Herbert Hencke, Marcel und Elisabeth können als

Hermesfiguren betrachtet werden, die Faber ein Stück auf seiner Reise begleiten. Diese führt ihn zunächst aus der Zivilisation hinaus (in den Dschungel) und endet in Griechenland, wo das Orakel den Menschen dazu auffordert, sich selbst zu erkennen. Faber findet denn auch zuletzt zu sich – wenn auch erst im Angesicht des Todes.

Das gesamte Romangeschehen setzt sich aus Reisen zusammen. Deren Ausgangspunkt ist mit New York die zivilisierte Welt. Faber benutzt das Flugzeug, sein übliches Fortbewegungsmittel. Im Gepäck hat er stets seine **Schreibmaschine**.

Fabers Schreibmaschine:
eine ‚Hermes-Baby'

Die „**Hermes-Baby**" ist keine Erfindung Frischs, sondern eine kleine Reiseschreibmaschine der Firma Hermes. Dennoch ist es kein Zufall, dass Faber gerade eine Schreibmaschine dieses Typs verwendet. Ihr Name verrät viel über ihre tiefere Bedeutung. Die Schreibmaschine ist das Medium, mithilfe dessen Faber zur Selbsterkenntnis gelangt. Diese mündet allerdings in seinen Tod. Insofern ist die Schreibmaschine ein Seelengeleiter, ein moderner Hermes. Hinzuzufügen ist, dass der Prozess der Selbsterkenntnis erst durch Fabers verhängnisvolle Begegnung mit seiner Tochter ausgelöst wird. Auch Elisabeth wird damit zu einer Hermesgestalt. Sie ist – wie Walter Schmitz es formuliert hat – „im wörtlichen Sinne Fabers ‚Hermes-Baby'" (WS, S. 228).

Zu Beginn des Romans startet Faber in New York mit einer **„Super-Constellation"** (S. 7), einem viermotorigen Langstreckenflugzeug eines amerikanischen Herstellers, das 1954 auf den Markt gekommen war. Indem Frisch Faber in einem Flugzeug fliegen lässt, dessen Name übersetzt „Überkonstellation" heißt, deutet er an, dass in Fabers Leben die Fügung eine große Rolle spielt, auch wenn dieser das nicht wahrhaben will.

Fabers Ziel ist Caracas, wo er ein technisches Projekt leiten soll. Schon der Beginn der Reise ist außergewöhnlich: Ein so starkes Schneetreiben hat er beim Start „noch nie erlebt" (S. 7). Es folgt ein weiterer Einbruch in sein gewohntes Leben: Das Flugzeug muss notlanden. Walter Faber wird einschneidend in seiner – wie er es bisher empfunden hat – geradlinigen Lebensbahn gestört: Er trifft Herbert Hencke und schließt mit ihm während seines erzwungenen Aufenthaltes in der **Wüste** Tamaulipas Freundschaft. Herbert führt Faber zu dessen totem Freund Joachim (und letzten Endes zu Hanna und Elisabeth). Die Wüste, in der sie sich näher kommen, wirkt auf die Mitreisenden Fabers wie ein Totenreich. Er gibt ihre Eindrücke wieder, die er selbst jedoch ablehnt:

> *Ich weiß nicht, wie verdammte Seelen aussehen; vielleicht wie schwarze Agaven in der nächtlichen Wüste. Was ich sehe, das sind Agaven, eine Pflanze, die ein einziges Mal blüht und dann abstirbt.* (S. 26)

Kurzes Aufblühen und Absterben, dazu die schwarze Farbe und auch der Name der Wüstenpflanze können als Vorausdeutung auf die kurze Lebenszeit von Fabers Tochter Elisabeth verstanden werden, die in einer solchen Deutung mit **Persephone**, der Herrscherin der Unterwelt, identifiziert wird. „Agave" ist abgeleitet von der griechischen femininen Form des Adjektivs *agaué*, was „erhaben" bedeutet. *Agaué Persephoneia* („erhabene Persephone") nennt der Dichter Homer die als Königin im Totenreich herrschende Persephone (*Odyssee* 11, 213).

Faber entschließt sich spontan, seine geplante Reise abzubre-
chen, um mit Herbert Hencke Joachim zu besuchen. Sie treffen
Marcel, der einen Landrover organisieren kann. Er ist es, der beide durch den **Dschungel** zu Joachim führt, den sie jedoch nur
noch tot antreffen. Wie die Wüstenlandschaft, so enthält auch
die Landschaft des Dschungels Hinweise auf den Tod. Wirkte
die Wüste Tamaulipas abgestorben und gespenstisch, so erscheint
der Tod im Dschungel als Folge einer übermäßig vitalen Natur:

> *Was mir auf die Nerven ging: die Molche in jedem Tümpel, in
> jeder Eintagspfütze ein Gewimmel von Molchen – überhaupt
> diese Fortpflanzerei überall, es stinkt nach Fruchtbarkeit, nach
> blühender Verwesung.* (S. 54 f.)

Hier entsteht und vergeht Leben unmittelbar nebeneinander. In
gleicher Weise verschenkt Gäa, die griechische Erdgöttin, ver-
schwenderisch Leben und fordert es gleichzeitig wieder zurück.

Walter Faber reist zurück nach New York, wo er Ivy wieder-
sieht und sich endgültig von ihr trennt. Von hier aus plant er einen
Flug nach Paris, entscheidet sich aber dann für ein langsameres
Transportmittel: das Schiff, auf dem er zufällig oder schicksalhaft
(je nach Bewertung der Ereignisse) seine Tochter Elisabeth trifft.
Er reist dann durch Frankreich und Italien (unter Elisabeths
Führung) und weiter nach Griechenland. Dort besucht er –
ebenfalls in Begleitung seiner Tochter – die Stätten Akrokorinth,
Delphi und Eleusis. (Auf diese wird im Abschnitt zum Demeter-
Kore-Mythos eingegangen; vgl. *Interpretationshilfe* S. 75 ff.).

Wüste, Dschungel und Griechenland – vom Dunkel ins Licht
– sind also Etappen auf Fabers „Bewusstseinsreisen". Griechenland ist dabei auch die letzte Station seines Lebens. Wie Hermes
dem blinden Ödipus – der von seiner Tochter Antigone begleitet
wurde – den Weg zu der Stelle zeigt, wo er die Welt verlassen
und in den Hades eingehen muss (vgl. Sophokles, *Ödipus auf
Kolonos,* Vers 1547), hat Elisabeth ihren Vater nach Athen geführt, wo er sterben soll.

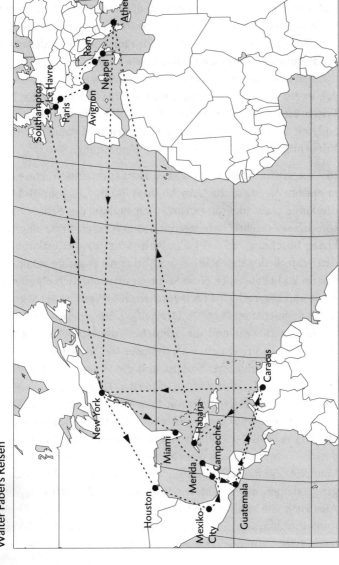

Walter Fabers Reisen

Der endgültige Abschied von seiner bisherigen Lebensweise und seine zunehmende Bodenhaftung werden auch durch Fabers Fortbewegungsmittel symbolisiert, die in Griechenland immer einfacher und langsamer werden, bis hin zum Eselskarren. Fabers Reisen stehen also nicht nur für räumliche Veränderungen. Als **Bewusstseinsreisen** verändern sie Fabers Leben.

Es ist symbolisch zu verstehen, dass Fabers Reise im Dschungel, in der Dunkelheit, beginnt und in Griechenland endet. Max Frisch bringt Griechenland in *Homo faber* wie auch in seinen anderen Werken mit Licht und Helligkeit und damit auch mit Erleuchtung und Selbsterkenntnis in Verbindung.

In Athen trifft Faber Hanna wieder. Dort stirbt seine Tochter und er erfährt die wirkliche Ursache ihres Todes: „[...] ihr Tod war die Folge einer nichtdiagnostizierten Fraktur der Schädelbasis, compressio cerebri, hervorgerufen durch ihren Sturz über die kleine Böschung." (S. 174) Elisabeths Sturz ist die Reaktion auf den Schreck, den ihr Faber versetzt, als er nackt auf sie zukommt, um ihr zu helfen. Auch diese Szene ist mythologisch überformt: Faber und Elisabeth sind nach durchwachter Nacht in der Mittagshitze eingeschlafen (S. 170). Der heiße Mittag, wenn die Sonne am höchsten steht und die Menschen vor Müdigkeit gelähmt sind, ist in der griechischen Mythologie die Zeit des Gottes **Pan**, der für die geschlechtliche Lust und die zeugende Natur steht und zumeist als abstoßender, lüsterner Faun dargestellt wird. Die mittägliche Begegnung mit dem Gott Pan löst beim Menschen einen „panischen" Schrecken aus. Der Psychoanalytiker Otto Rank (1884–1939) berichtete darüber hinaus über Fälle, in denen Töchter sich von einer Schlange oder von ihrem nackten Vater verfolgt fühlten (vgl. WS, S. 296). Solche Angstvorstellungen verleihen der Furcht vor Vergewaltigung durch den Vater Ausdruck. Sie sind in der Panik des Menschen bei der Begegnung mit dem Gott Pan vorgeformt. Die Schlange, die Elisabeth beißt, steht so für die Vergewaltigung durch den eigenen Vater.

In Griechenland stirbt Faber im Bewusstsein seiner Schuld und dennoch versöhnt. Er hat erkannt, dass es zum wirklichen Leben gehört, den Tod zu akzeptieren. Gegen Ende seiner Aufzeichnungen notiert er: „[...] *standhalten dem Licht, der Freude (wie unser Kind, als es sang) im Wissen, daß ich erlösche im Licht über Ginster, Asphalt und Meer, standhalten der Zeit, beziehungsweise Ewigkeit im Augenblick. Ewig sein: gewesen sein.*" (S. 216) Faber verdrängt den Tod nicht mehr. Jeder Augenblick, in dem der Mensch auf der Welt gelebt hat, hat Bestand.

Rückblickend betrachtet zeigen die Stationen von Fabers Reisen, dass er das Leben – Lebendigsein – immer mehr annimmt.

Der Todesbote

Eng verbunden mit dem Motiv des Reisens ist das Motiv des Todesboten: Diese Funktion übernimmt Professor O., der drei Mal im Roman auftritt und ein viertes Mal in Fabers Notizen kurz vor seinem Tod erwähnt wird. Er erinnert den Leser daran, dass Faber todkrank ist, obwohl der das von sich weist.

Professor O. ist Fabers „geschätzter Lehrer an der Eidgenössischen Technischen Hochschule" (S. 16). Sein Fachgebiet ist die Elektrodynamik. Faber bezeichnet ihn, der ihm „immer eine Art Vorbild gewesen" ist, als „seriöse[n] Fachmann" (S. 112). Wie Fabers ist auch Professor O.s Weltbild durch die Technik geprägt. Letzterer offenbart den Studenten, dass die „Mittel der Kommunikation" dem Menschen die Welt ins Haus bringen, sodass er nicht mehr zu reisen braucht (S. 112). Umso überraschender ist es, dass Faber Professor O. in Paris begegnet. Wie Faber leidet der Professor an Magenkrebs. Sein Gesicht ist nach Fabers Eindruck kein Gesicht mehr, sondern lediglich „ein Schädel mit Haut drüber", die wie „Leder oder wie Lehm" aussieht. Seine Augen liegen „weit hinten" in den Augenhöhlen und die „Ohren stehen ab". Ein „Ballon von Bauch" quillt unter den Rippen hervor. Er lacht immer und ist geschwätzig, was Faber als Student nie an ihm bemerkt hat (S. 111). Die Beschreibung des Professors erinnert an die im 15. und 16. Jahrhundert üblichen Totentanzdarstellungen. Somit tritt er im Roman als der personifizierte Tod auf. Die Personifikation wird durch seinen Namen verstärkt: Das ‚O‘ steht für ‚Ω‘, den letzten Buchstaben des griechischen Alphabets, und damit im übertragenen Sinne für das Ende des Lebens. Das Ω taucht ein zweites Mal im Roman auf, als Faber dem griechischen Lastwagenfahrer seine Omega-Uhr gibt, damit dieser die verunglückte Elisabeth ins Krankenhaus bringen kann (S. 140). Indem er die Armbanduhr weggibt, zeigt er symbolisch an, dass für ihn nun die Zeit keine Rolle mehr spielt, dass sie für ihn stillsteht; das lässt sich als Vorausdeutung auf seinen Tod lesen.

Einer der frühsten Hinweise auf Fabers Krankheit und Tod ist mit der ersten Erwähnung von Professor O. verbunden. Faber ist im Flugzeug eingeschlafen und träumt, dass ihm die Zähne aus dem Mund fallen „wie Kieselsteine“. Professor O. kommt in diesem Traum auch „irgendwie [...] vor“. Er ist „vollkommen sentimental“ und „weint immerfort“, was Faber mit Professor O.s Beruf (Mathematiker bzw. Elektrodynamiker) nicht vereinbaren kann (S. 16).

Danach tritt Professor O. noch zwei Mal an entscheidenden Stellen in Erscheinung: In Paris trifft Faber ihn, als er seine Dienstreise unterbricht und sich mit Elisabeth in der Oper verabredet hat (S. 111). Faber erkennt ihn zunächst nicht, da sein Kopf wie ein Totenschädel aussieht. Er registriert Professor O.s „gräßlich[es]“ Lachen. Außerdem erinnert er sich daran, gehört zu haben, dass Professor O. schon gestorben sei. Professor O.s Einladung zum Apéritif lehnt er ab, da er noch zu einer Konferenz muss und danach mit Elisabeth in die Oper gehen will (S. 113). Der schon Todkranke wendet sich dem Leben zu: Er ist mit einer 30 Jahre jüngeren Frau verabredet. Hier zeigt sich, wie Faber sein Alter, aber auch seine Krankheit und seinen nahen Tod verdrängen will. Später kann er sich dann eingestehen:

*Mein Irrtum mit Sabeth: Repetition, ich habe mich so verhal-
ten, als gebe es kein Alter, daher widernatürlich. Wir können
nicht das Alter aufheben, indem wir weiter addieren, indem wir
unsere eigenen Kinder heiraten.* (S. 184 f.)

Diese Einsicht geht übrigens offenkundig auf eine Bemerkung
Hannas zurück: „‚Das ist nun einmal so‘, sagt sie, ‚wir können
uns nicht mit unseren Kindern nochmals verheiraten.‘" (S. 150)

Kurz vor seinem Tod verabschiedet sich Faber noch einmal
von seiner Heimatstadt Zürich. Jetzt nimmt er Professor O.s
Einladung ins Café Odéon an. Hierin kann man einen Hinweis
darauf sehen, dass Faber seine Krankheit und seinen nahen Tod
nun akzeptiert. Er nimmt sich Zeit für die „Unterhaltung mit
einem Totenschädel" (S. 210). Von Professor O. erfährt Faber,
dass das Odéon bald abgerissen wird. Außerdem bemerkt Professor O., wie Faber etwas auf den Tisch zeichnet: Im Marmor
des Tisches hat Faber eine versteinerte Schnecke entdeckt, aus
der er eine Spirale zeichnet. Dies ist ein Hinweis darauf, dass
Fabers Lebenskreis sich bald schließen wird.

Professor O. wird noch ein letztes Mal erwähnt: Im Krankenhaus notiert Faber: *„Jetzt ist Professor O., den ich in Zürich noch
vor einer Woche persönlich gesprochen habe, auch gestorben."*
(S. 187)

Spiegel

Ein wichtiges Motiv in *Homo faber* ist das des Spiegels, auch
wenn es nur drei Mal im Roman vorkommt. Der Spiegel zeigt
Walter Faber **ein ungeschminktes Bild seiner selbst**. Er prä-
sentiert ihm die Spuren von Krankheit und Tod, die Faber immer wieder zu verdrängen sucht.

Das Spiegelmotiv ist an entscheidenden Stellen des Romans
zu finden. Gleich zu Beginn, während der Zwischenlandung in
Houston, Texas, schaut Faber in den Spiegel und findet sein Gesicht „scheußlich wie eine Leiche", auch seine Hände sind „weiß

wie Wachs" (S. 11). Faber bricht zusammen und hofft, dass der Flug ohne ihn weitergeht.

Ein zweites Mal sieht er sich in Paris im „Spiegel im Goldrahmen, [...] sozusagen als Ahnenbild" (S. 106). Dieser Vergleich ist aufgrund des Goldrahmens nahe liegend und dennoch seltsam: Ahnenbilder zeigen Menschen, die bereits gestorben sind. Diese für Faber unangenehme Assoziation ist wohl der Grund dafür, dass er sich über „diese lächerlichen Spiegel" ärgert (S. 107). Gleichwohl blickt er geradezu zwanghaft immer wieder in die Spiegel, „die mich insgesamt in achtfacher Ausfertigung zeigten", und muss sich eingestehen: „Natürlich wird man älter – / Natürlich bekommt man bald eine Glatze –" (S. 107) Er ist, auch wenn er es nur ungern zugibt, verunsichert durch die „blöde[] Bemerkung von Williams" (S. 106), seines Chefs: „What about some holidays, Walter? [...] You're looking like –" (S. 104, vgl. auch S. 106). Trotzig besteht er darauf, gerade jetzt, nach der Schiffsreise, „ausgezeichnet" auszusehen (S. 106), und verzichtet darauf, zum Arzt zu gehen (vgl. S. 107), obwohl er sich das auf dem Schiff vorgenommen hatte (vgl. S. 96). Er missachtet noch immer die Alarmsignale seines Körpers, weil sie sein Selbstbild gefährden („nie in meinem Leben krank gewesen"; S. 107).

Als Faber sich ein drittes Mal im Spiegel betrachtet, befindet er sich im Krankenhaus in Athen. Er ist erschrocken. Im Spiegel sieht er aus *„wie der alte Indio in Palenque, der uns die feuchte Grabkammer zeigte"* (S. 185). Hier weist der Spiegel eindeutig auf den bevorstehenden Tod Fabers hin – verstärkt noch durch die Erwähnung von *„viele[n] Todesfälle[n]"*, die es im *„letzten Vierteljahr"* gegeben hat, und den Tod von Professor O. (S. 187).

Blindheit

Ein weiteres Motiv, das den gesamten Text durchzieht, ist das der Blindheit. Schon zu Beginn, als die „Super-Constellation" im Schneetreiben startet, kommt sich Faber „wie ein Blinder" vor

(S. 8). Als er in der Wüste von Tamaulipas sein Selbstverständnis als Techniker erklärt, betont er, dass er gewohnt sei, „die Dinge zu sehen, wie sie sind". Dabei weist er eigens darauf hin, dass er „ja nicht blind" sei (S. 25). Später bezeichnet ihn Hanna allerdings als „stockblind". Bezeichnenderweise antwortet Faber darauf: „‚Ich sehe nur‘, [...] ‚was da ist [...]‘" (S. 156).

Fabers „Blindheit" äußert sich darin, dass er ein festes – und falsches – Bild von sich und den anderen Menschen besitzt (etwa von Ivy, Hanna, Elisabeth und Marcel). Seine **Voreingenommenheit** hindert ihn lange Zeit daran, die anderen Menschen wirklich wahrzunehmen und in eine echte Kommunikation mit ihnen einzutreten (vgl. *Interpretationshilfe,* S. 23 ff. und 87 f.).

Elisabeth Piper (Julie Delpy) und Walter Faber (Sam Shepard). Szene aus dem Film „Homo faber" von Volker Schlöndorff (1991)

Das Blindheitsmotiv weist auf die **Ödipussage** hin. Diese soll zum besseren Verständnis kurz zusammengefasst werden:

Ödipus ist der Sohn des Laios, des Königs von Theben, und der Iokaste. Das Orakel in Delphi hat Laios prophezeit, er werde durch die Hand seines eigenen Sohnes sterben. Deshalb wird Ödipus sofort nach seiner Geburt mit durchbohrten Knöcheln – was zu seinem Namen führt, der „Schwellfuß" bedeutet – ausgesetzt. Ein Hirte findet jedoch das Kind und bringt es an den Königshof seiner Heimatstadt Korinth, wo es von König Polybios und seiner Gattin Merope, die selbst kinderlos sind, an Sohnes statt aufgenommen und aufgezogen wird. Als Heranwachsender hört Ödipus am Hof Andeutungen über seine zweifelhafte Herkunft. Er wendet sich daraufhin in der Hoffnung um Aufklärung an das Orakel in Delphi. Dort erhält er die rätselhafte Auskunft, er werde seinen Vater ermorden und seine Mutter heiraten. Um diese schreckliche Tat zu vermeiden, kehrt er nicht nach Korinth zurück, sondern geht nach Theben. Unterwegs begegnet ihm Laios in seinem Wagengespann. Da Ödipus dem Wagenlenker nicht schnell genug ausweicht, kommt es zum Streit, in dessen Verlauf Ödipus seinen Vater (ohne ihn zu kennen) tötet. Theben wird zu dieser Zeit von der Sphinx heimgesucht, einem Todesdämon von geflügelter Löwengestalt mit einem Mädchenkopf. Die Sphinx tötet jeden, der nicht in der Lage ist, ihr Rätsel zu lösen. Dieses lautet: „Was ist am Morgen vierfüßig, zu Mittag zweifüßig, am Abend dreifüßig?" Die Antwort ist: der Mensch. Ödipus kommt nach Theben, löst das Rätsel der Sphinx und befreit dadurch die Stadt. Er wird infolge dieser Rettungstat König und erhält die Hand der verwitweten Königin, seiner Mutter Iokaste. Aus dieser Verbindung gehen vier Kinder hervor: Eteokles, Polyneikes, Antigone und Ismene. Als Theben nach mehreren Jahren von der Pest heimgesucht wird, fordert das Orakel, den Mord an Laios zu sühnen. Durch die von Ödipus vorgenommene Untersuchung kommt die Wahrheit ans Licht: Er selbst ist der Mörder. Iokaste erhängt sich, Ödipus sticht sich die Augen aus und wird von seinen Söhnen des Landes verwiesen. Nach Jahren unsteten Wanderlebens in Begleitung seiner treuen Tochter Antigone stirbt er friedlich im Erinnyenhain auf dem nahe Athen gelegenen Hügel Kolonos.

„Oedipus und die Sphinx" sind in Hannas Wohnung „auf einer kaputten Vase" dargestellt (S. 154). Hanna beschäftigt sich mit der Rekonstruktion solcher Vasen: ‚„Was ich arbeite?', sagt sie. ‚Du siehst es ja, Scherbenarbeit. Das soll eine Vase gewesen sein. Kreta. Ich kleistere die Vergangenheit zusammen –'" (S. 151). Sie will mit diesem Kommentar zum Ausdruck bringen, dass ihre Existenz ein Scherbenhaufen sei.

Ein weiterer Hinweis auf den Ödipus-Mythos findet sich am Schluss des Romans. Faber ist nach Düsseldorf gereist, um der Firma Hencke-Bosch Filme von Joachims Plantage zu zeigen. Als er mit einem Techniker die Vorführung vorbereitet, sieht er plötzlich die Aufnahmen, die ihn mit seiner inzwischen verstorbenen Tochter während ihrer gemeinsamen Reise zeigen. Der Anblick seiner „tote[n] Tochter", die „singt, aber unhörbar" (S. 208), trifft ihn zutiefst. Fluchtartig verlässt er das Firmengebäude, eilt „wie blind" zum Bahnhof und steigt in den nächsten Zug nach Zürich. Er wünscht sich, nie gelebt zu haben: „Ich sitze im Speisewagen und denke: Warum nicht diese zwei Gabeln nehmen, sie aufrichten in meinen Fäusten und mein Gesicht fallen lassen, um die Augen loszuwerden?" (S. 209) Wie Ödipus, nachdem er seine Schuld erkannt hat, sich blendet und damit Selbstjustiz begeht, erkennt auch Faber, dass er sich in schwere Schuld verstrickt hat. Ödipus hat zwar das Rätsel der Sphinx gelöst und damit die Pest von der Stadt Theben abgewendet. Aber er (bzw. seine Eltern) haben das Schicksal nicht angenommen, das die Götter einst über sie verhängt haben. Leidvoll müssen sie erfahren, dass die Götter das nicht dulden.

Angesichts der Schwere dieses Schicksals ist allerdings zu fragen, ob nicht insbesondere das Handeln von Ödipus gerechtfertigt ist (das seiner Eltern ist ethisch fragwürdiger). Scheinbar **schuldlos** wird Ödipus **schuldig**. Er trägt dennoch die Konsequenzen dieser Schuld; vielleicht auch deshalb, weil es unbewusst eben doch sein Wunsch war, ein intimes Verhältnis mit seiner

Mutter einzugehen. Sein Lebensweg erlaubt es ihm, gerade diesem verbotenen Wunsch nachzugeben, denn wie wahrscheinlich ist es, dass Iokaste seine Mutter ist? Soll er sich von jeder Frau fernhalten, nur weil er zweifeln muss, ob seine angeblichen Eltern wirklich seine Eltern sind?

Ähnlich geht es Walter Faber. Auch ihm kann im Grunde kein Vorwurf gemacht werden. Wer glaubt denn an den Zufall, dass er ausgerechnet seine eigene Tochter (von deren Existenz er bis dahin gar nichts wusste) kennen lernt und mit ihr ein Verhältnis beginnt? Solange Elisabeth lebt, ist das Fabers Position: „Was konnte ich dafür, daß alles so gekommen war! Es stimmt: Hanna machte ja keine Vorwürfe, keine Anklagen [...]" (S. 166). Erst als seine Tochter gestorben ist, als die Tragödie sich vollendet hat, erkennt Faber, dass diese Position sich nicht halten lässt. Zu oft hatte Faber die Gelegenheit, seinem merkwürdigen Gefühl, dass Elisabeth ihn an Hanna erinnere, durch ein paar offene Fragen auf den Grund zu gehen. Dass er das unterlässt, zeigt, dass er letztlich fürchtet, in Elisabeth, in der er die Geliebte sehen möchte, die Tochter zu erkennen. Nachdem er endlich erfahren hat, dass Elisabeth Hannas Tochter ist, ist sein erster Gedanke: „eine Heirat kam wohl nicht in Frage" (S. 128). Auch zu diesem Zeitpunkt klammert er sich aber an die – mehr und mehr abwegige – Hoffnung, Elisabeth, mit der er bereits geschlafen hat, möge wenigstens nicht seine Tochter sein.

Wie Ödipus widerfährt Faber ein **tragisches Geschick**. Mehr noch als Ödipus wird er aber schuldig, weil dieses Schicksal mit seinen verbotenen inzestuösen Wünschen übereinstimmt und er deshalb darauf verzichtet, alle Möglichkeiten auszuschöpfen, um Gewissheit über die wahre Identität seines Liebesobjekts zu erlangen. Dass er sich im Speisewagen mit zwei Gabeln die Augen ausstechen möchte (S. 208 f.), deutet darauf hin, dass Faber zu diesem Zeitpunkt seine Schuld anerkennt und es ihn nun wenigstens symbolisch danach verlangt, diese Schuld zu sühnen.

Der Demeter-Persephone (Kore)-Mythos

Betrachtet man die drei wichtigsten Figuren des Romans und deren Handlungsmotive, so fällt die Ähnlichkeit dieser Konstellation mit dem griechischen Mythos der Göttin Persephone auf. Persephone ist Tochter des Zeus und seiner Schwester Demeter und trägt oft den Namen **Kore** („Tochter"); sie galt als eine Toten-, Unterwelt- und Fruchtbarkeitsgöttin. Dass Max Frisch gezielt auf diese mythologisch-psychologische Deutungsebene anspielt, zeigt sich unter anderem daran, dass Walter Faber in Griechenland zwei Mal an der Stadt Eleusis vorbeikommt, wo sich das Heiligtum der Göttin Demeter befand (vgl. S. 140, 168).

Zum besseren Verständnis der Übereinstimmungen zwischen Romanhandlung und Mythos soll die Sage von Demeter und Persephone kurz wiedergegeben werden:

Demeter hat eine Tochter, **Persephone**, die sie sehr liebt. (Die hier abgebildete Statue einer sitzenden Göttin stellt vermutlich Persephone dar.) Als das Mädchen eines Tages mit Freundinnen Blumen pflückt, öffnet sich plötzlich die Erde und Hades, der Gott der Unterwelt und Bruder Demeters, kommt mit einem mit Pferden bespannten Wagen herauf und entführt Persephone gewaltsam in sein Reich. Dort wird sie seine Gemahlin. Demeter irrt verzweifelt auf der Erde umher, um ihre Tochter zu suchen, bis ihr endlich Helios, der Sonnengott, der alles sehen kann, verrät, dass Persephone in der Unterwelt ist. Demeter lässt aus Trauer und Zorn darüber Missernten auf die Erde kommen und Hungersnot bedroht die Menschen. Da Zeus, der Göttervater, Demeter nicht milde stimmen kann, bittet er schließlich Hades, Persephone wieder zu ihrer Mutter zu bringen. Hades gehorcht Zeus; jedoch hat er Persephone bereits von einem Granatapfel kosten lassen. Dies ist ein Zauberapfel: Wer ihn isst, verfällt der Liebe. Persephone will daher Hades nicht gänzlich verlassen. Sie weilt ein halbes Jahr in der Unterwelt und ein halbes Jahr in der Oberwelt. Sie unterhält auch Beziehungen zu den Göttern des Olymp, wo sie bei Streitigkeiten als Versöhnerin auftritt.

Wie Hades nimmt Walter Faber im Beziehungsgeflecht der drei Hauptfiguren **die Rolle des Verführers ein**, der schließlich Inzest mit Elisabeth begeht. Hanna weiß, dass Faber der Verführer ihrer Tochter ist. Im Krankenhaus verhindert sie es, dass sich Faber auch nur eine Minute in dem Zimmer aufhält, in dem Elisabeth liegt, „als wollte ich ihr die Tochter stehlen" (S. 142). Sie telefoniert mit ihr in deutscher Sprache, wechselt aber sofort „auf griechisch", als Faber hereinkommt (S. 148). Hanna kommt immer wieder auf Elsbeths – so nennt sie die Tochter – lange Abwesenheit zu sprechen. Es war das erste Mal, dass sie für längere Zeit von ihrer Tochter getrennt war: „‚[...] Ich habe Elsbeth ein halbes Jahr lang nicht gesehen [...]'" (S. 149). Faber selbst notiert am Ende seines Berichts: *„es ist Hanna schon schwer genug gefallen, das Mädchen allein auf die Reise zu lassen, wenn auch nur für ein halbes Jahr."* (S. 220) Das halbe Jahr von Elisabeths Abwesenheit betont die Parallelen der Romanhandlung zum antiken Mythos.

Weiterhin ist auffällig, dass Faber Elisabeth manchmal „Mädchen" oder „mein Mädchen" nennt. Auch hier ist eine Parallele zu der griechischen Sage vorhanden. Persephone trägt den Beinamen **Kore**, was ‚Mädchen' bedeutet. Persephone tritt vor allem als die Tochter der Erdgöttin auf. Häufig wird Elisabeth auch mit Blumen in Verbindung gebracht. In den Urlaubsfilmen, die Faber in Düsseldorf ansieht, gibt es eine Sequenz, die „Sabeth beim Blumenpflücken" zeigt (S. 207). Dies kann als ein weiterer Hinweis darauf angesehen werden, dass Elisabeths Schicksal dem der Persephone gleicht: Als diese von Hades entführt wird, pflückt sie ebenfalls Blumen. Auch Walter Faber ,entführt' Elisabeth in das Reich des Todes: Er trägt letztendlich die Schuld an ihrem Tod. Fabers letzte Aufzeichnung lautet entsprechend:

> *[...] Hanna hat nicht ahnen können, daß Sabeth auf dieser Reise gerade ihrem Vater begegnet, der alles zerstört –* (S. 220)

Hanna hat wie Demeter eine enge Beziehung zu ihrer Tochter, die sie allein sehr sorgfältig aufgezogen hat und für die sie alles tut. Walter Faber notiert in seinen letzten Tagebuchaufzeichnungen:

> *Obschon sie in den folgenden Jahren nicht ohne Männer lebt, opfert sie ihr ganzes Leben für ihr Kind [...]. Sie unterrichtet ihr Kind, wo es keine deutschsprachige Schule gibt, selbst und lernt mit vierzig Jahren noch Geige, um ihr Kind begleiten zu können. Nichts ist Hanna zuviel, wenn es um ihr Kind geht. Hanna hat ihr Kind nicht verwöhnt; dazu ist Hanna zu gescheit.* (S. 219 f.)

Auch in ihrer Trauer um Elisabeth und in ihrem Zorn auf Faber hat Hanna Ähnlichkeit mit Demeter. Letzteres zeigt sich zum Beispiel in folgender Anklage: „‚Du‘, sagt sie, ‚du – was hast du zu sprechen mit meiner Tochter? Was willst du überhaupt von ihr? Was hast du mit ihr?‘" (S. 149) Diese Fragen wiederholt Hanna immer wieder (vgl. auch S. 137). Es ist für Hanna wichtig, darauf hinzuweisen, dass es sich um ihre, nicht um Walter Fabers Tochter handelt. Deshalb bestreitet sie auch zunächst Fabers biologische Vaterschaft.

In dem Demeter-Kore-Mythos ist Hannas Verhältnis zu ihrer Tochter vorgebildet. Hanna ahmt ein vorzeitliches **matriarchalisches Mutterbild** nach. Wie das mythologische Vorbild, die Göttin Demeter, möchte sie die Tochter ganz für sich behalten. Demeter will die Heirat der erwachsenen Persephone nicht akzeptieren. In vergleichbarer Weise will Hanna ihrer Tochter den Vater vorenthalten.

Nahe der Stelle, an der Elisabeth verunglückt, liegt der Ort **Eleusis** (vgl. S. 168). Persephone soll in der Nähe dieser Stadt neben einem Feigenbaum in die Unterwelt hinabgelangt sein. Die ersten Früchte des Feigenbaumes wurden dem Gott Hermes, dem Seelengeleiter, geopfert. Fabers argloser Vorschlag, „einfach weiterzuwandern in die Nacht hinaus und unter einem Feigenbaum zu schlafen" – da es in Korinth keine freien Zimmer mehr gibt; Elisabeth ist gleich begeistert, sie hält das für „eine Glanzidee" (S. 163) –, wirkt vor dem Hintergrund solcher mythologischer Überlieferungen geradezu wie eine Provokation der einheimischen alten Götter. Die Strafe folgt auf dem Fuß: Elisabeth verunglückt, und zwar vermutlich durch die Schuld ihres Vaters.

Sicherlich fordert Faber das Schicksal nicht bewusst heraus. Er lehnt ja überhaupt den Glauben an das Schicksal ab. Auch machen Faber und Elisabeth ihren Vorsatz nicht wahr, sondern wandern die ganze Nacht hindurch. Es wirkt dennoch wie eine Ironie der Erzählung, dass Elisabeths Tod hätte abgewendet werden können, wenn Faber gegenüber der geschichtlichen und mythologischen Überlieferung weniger ignorant und überheblich gewesen wäre (vgl. S. 120: „weil ich mich mit antiken Namen sowieso nicht auskenne, dann fühlt man sich wie im Examen …"). Hätte er den Aberglauben geteilt, der viele Menschen davon abhält, unter einem Feigenbaum zu schlafen, hätte er wohl seinen Vorschlag unterlassen. Elisabeth und er wären nicht die ganze Nacht gewandert (S. 163–165) und am folgenden Tag wären sie nicht erschöpft eben dort am Strand eingeschlafen, wo Elisabeth verunglückt. Dass die durchwachte und durchwanderte Nacht zu Fabers glücklichsten Momenten gehört, wirkt wie ein ironischer Kommentar der Erzählung zu Fabers anmaßender Vorstellung, als technisch denkender Mensch die Wirklichkeit realistischer wahrzunehmen als die meisten anderen Menschen (vgl. S. 23 f.). Hochmütig verkennt er die Gefahr. Dass ‚die Götter' aber in besonderer Weise den **Hochmut** bestrafen und die Menschen auf diese Weise in ihre Schranken weisen, ist eine weitere Lehre, die mythologisch Gebildeten nicht fremd ist, die Faber aber erst auf bittere Weise erkennen muss.

Der Ludovisische Altar und die „schlafende Erinnye"

In Frankreich, Italien und Griechenland besucht Faber mit seiner kunstbegeisterten Tochter Museen. Die meisten dieser Kunsteindrücke sind Faber keine nähere Erwähnung wert. Lediglich die Betrachtung zweier Kunstwerke im Kreuzgang des Thermenmuseums in Rom findet Eingang in Fabers Bericht. Schon das weist darauf hin, dass diesen beiden Kunsterlebnissen eine besondere Bedeutung zukommt.

Das **Relief des Ludovisischen Altars** zeigt auf der vorderen Seite die „Geburt der Venus". Dem Mythos zufolge ist die Liebesgöttin Venus beziehungsweise Aphrodite – wie ihr griechischer Name lautet – dem Meerschaum entstiegen (*aphrós* bedeutet *Schaum*). Wie Elisabeth ist sie eine vaterlose Tochter. Neben der Venus bemerkt Faber ein Flöte spielendes Mädchen, das er „entzückend" findet (S. 120). Da Faber später in Elisabeths Zimmer ebenfalls eine Flöte bemerkt (S. 161), lässt sich auch die Gestalt des Flöte spielenden Mädchens auf seine Tochter beziehen.

Flötenspielerin; Seitenflügel des „Ludovisischen Altars"

Auf dem Altarbild ist ferner eine mit einem Mantel verhüllte opfernde Frau zu sehen, die Faber allerdings nicht erwähnt. Das könnte darauf deuten, dass Faber diese Frau unwillkürlich mit Elisabeths Mutter identifiziert.

Fabers Beobachtung, dass sich „eine ganze Gruppe deutscher Touristen [...] vor dem Relief wie vor einer Unglücksstätte" (S. 120) drängt, kann den Leser hellhörig machen. Als Faber seinen Bericht verfasst, ist seine Tochter bereits tot. Zu dem Zeitpunkt, an dem er von Elisabeths und seinem Besuch im Thermenmuseum erzählt, neigt er aber noch dazu, seine Mitschuld am Tod seiner Tochter zu verleugnen. Entsprechend verdrängt er die verhüllte, wie trauernde, Frauengestalt. Er möchte nicht an Hanna denken, deren Trauer als Vorwurf auf ihm lastet. Doch das Verdrängte macht sich an anderer Stelle bemerkbar: Deshalb erscheint die deutsche Reisegruppe Faber in der Erinnerung als eine Ansammlung von Schaulustigen vor einer Unglücksstätte.

Noch eine weitere Skulptur macht auf Faber großen Eindruck: der „**Kopf einer schlafenden Erinnye**" (S. 120), die Faber als „meine Entdeckung" bezeichnet:

> Es war ein steinerner Mädchenkopf, so gelegt, daß man drauf blickt wie auf das Gesicht einer schlafenden Frau, wenn man sich auf die Ellbogen stützt. [...]
>
> Als ich nochmals die Geburt der Venus besichtigte, sagt sie plötzlich: Bleib! Ich darf mich nicht rühren. Was ist los? frage ich. Bleib! sagt sie: Wenn du dort stehst, ist sie viel schöner, die Erinnye hier, unglaublich, was das ausmacht! Ich muß mich davon überzeugen, Sabeth besteht darauf, daß wir die Plätze wechseln. Es macht etwas aus, in der Tat, was mich aber nicht verwundert; eine Belichtungssache. Wenn Sabeth (oder sonst jemand) bei der Geburt der Venus steht, gibt es Schatten, das Gesicht der schlafenden Erinnye wirkt, infolge einseitigen Lichteinfalls, sofort viel wacher, lebendiger, geradezu wild.
>
> „Toll", sagt sie, „was das ausmacht!" (S. 120 f.)

Sabeth macht die Entdeckung, dass die schlafende Erinnye „viel schöner" wird, sobald **Fabers Schatten** auf sie fällt. Der Schatten Fabers lässt sich als Ausdruck einer eigentlich bedrohlichen Annäherung deuten, die aber dennoch erwünscht ist, wie Sabeths Begeisterung zeigt. Auch Faber findet, dass die Erinnye, wenn Schatten auf sie fällt, „sofort viel wacher, lebendiger, geradezu wild" wirkt – wenngleich er betont, dass das nur eine Folge des einseitigen Lichteinfalls sei und dass diese Wirkung keinesfalls unmittelbar mit seiner Person zu tun habe. Er möchte nicht eingestehen, dass seine und Elisabeths Begeisterung für die durch den Schatten scheinbar zum Leben erwachende Skulptur offenbar viel mit ihnen selbst zu tun hat. Unwillkürlich erscheint ihnen die schlafende Erinnye als Sinnbild dessen, was sie in Avignon erlebt haben, als sie zum ersten Mal miteinander geschlafen haben. Nicht zufällig assoziiert Walter Faber mit dem steinernen Mädchenkopf zunächst „das Gesicht einer schlafenden Frau", die neben einem im Bett liegt (S. 120).

„Kopf einer schlafenden Erinnye" im Thermenmuseum in Rom

Erinnyen sind altgriechische Rachegöttinnen. Als solche werden sie auch in W. F. Ottos religionsgeschichtlichem Werk *Die Götter Griechenlands. Das Bild des Göttlichen im Spiegel des griechischen Geistes* (1929) eingeführt, das Max Frisch bei der Arbeit an seinem Roman benutzte (vgl. WS S. 292). Den Forschungen

Karl Kerényis zufolge vertraten die Erinnyen „v. a. die zürnende Mutter": „Über alles setzten sie die Ansprüche der Mütter, selbst wenn es nicht rechtmäßige Ansprüche waren" (ebd.).

Die Erinnyen verfolgen die Frevler – berühmtestes Beispiel ist Orest im antiken Drama sowie in Goethes *Iphigenie auf Tauris,* der seine Mutter umgebracht hat, weil sie zusammen mit ihrem Liebhaber seinen Vater erschlagen hat – und lassen sie nicht mehr zur Ruhe kommen. So findet auch Faber keine wirkliche Ruhe mehr, nachdem er erkannt hat, dass er das Leben seiner Tochter – und damit das ihrer Mutter, der von ihm eigentlich geliebten Frau – zerstört hat. Insofern ist der Erinnyenkopf in *Homo faber* auch ein Sinnbild für die Folgen des entfesselten Begehrens.

Agamemnon und Klytämnestra

Orests Mutter ist **Klytämnestra**, sein Vater **Agamemnon**. Agamemnon ist der König von Mykene und der Bruder des Menelaos, dessen Frau Helena vom trojanischen Königssohn Paris geraubt wird. Diese Tat löst den trojanischen Krieg aus. Agamemnon führt das griechische Heer als oberster Kriegsherr gegen Troja. Die griechischen Streitkräfte versammeln sich in Aulis, um von dort lossegeln zu können. Dort werden sie jedoch durch eine lange Windstille im Hafen festgehalten. Durch die Windstille rächt sich die Göttin der Jagd, Artemis, an Agamemnon, der eine ihrer heiligen Hirschkühe erlegt hat. Der Seher Kalchas verkündet Agamemnon, dass er der Göttin, um diese zu besänftigen, seine ältere Tochter Iphigenie opfern müsse, worauf die Schiffe nach Troja auslaufen könnten. Agamemnon lässt sich auf diese Bedingung ein. Seiner Frau Klytämnestra sagt er nichts davon, dass er die Tochter opfern muss. Die Göttin Artemis zeigt sich im letzten Moment gnädig, verbringt Iphigenie auf die ferne Insel Tauris und lässt an ihrer Stelle auf dem Altar eine Hirschkuh zurück. Doch Klytämnestra kann es ihrem Mann nicht verzeihen, dass er ihr die Tochter genommen hat. Als Agamemnon nach zehn Kriegsjahren heimkehrt, wird er von seiner Frau, zusammen mit ihrem Geliebten Ägist, im Bade erschlagen.

Auch diesen Mythos verwendet Max Frisch als Anspielungs-
horizont in seinem Roman: Faber begegnet Hanna in Athen, sie
beherbergt ihn in ihrer Wohnung, als er gewissermaßen nach
21 Jahren (vgl. S. 143) wieder zu ihr zurückkehrt. Als er dort
nach den Strapazen der letzten Etappe seiner Reise – die verunglückte Elisabeth war so schnell wie möglich ins Krankenhaus
zu bringen – ein Bad nimmt, kommen ihm folgende Gedanken:

> *Mein Körper unter Wasser – / Ich halte nichts von Selbstmord,*
> *das ändert ja nichts daran, daß man auf der Welt gewesen ist,*
> *und was ich in dieser Stunde wünschte: Nie gewesen sein! /*
> *„Walter", fragt sie, „kommst du?" / Ich hatte die Badezimmer-*
> *tür nicht abgeschlossen, und Hanna (so dachte ich) könnte ohne*
> *weiteres eintreten, um mich von rückwärts mit einer Axt zu*
> *erschlagen; ich lag mit geschlossenen Augen, um meinen alten*
> *Körper nicht zu sehen.* – (S. 147 f.)

Faber kennt vermutlich den berühmten antiken Mythos von
Agamemnon, Klytämnestra und ihrer Tochter Iphigenie nicht.
Wenige Seiten später betont Faber, und nicht zum ersten Mal,
„daß ich in Mythologie und überhaupt in Belletristik nicht
beschlagen bin" (S. 154). Umso auffälliger ist, dass sich Fabers
Gedanken im Bad unwillkürlich in eine Richtung bewegen, die
diesen Mythos heraufbeschwört. Faber fühlt sich schuldig und
wartet geradezu darauf, von Hanna dafür bestraft zu werden,
dass er es nicht vermocht hat, ihr ihre Tochter wohlbehalten
wiederzubringen. Der Mythos bringt zum Ausdruck, was Faber
fühlt. Fabers eigenes Gefühlsleben bezeugt damit die tiefere
Wahrheit der Mythen, die er als Aberglauben ablehnt. Weil er
sie ablehnt und deshalb ignoriert, ist er unfähig, aus ihnen zu
lernen. Diese Unfähigkeit erweist sich als verhängnisvoll und ist
entsprechend ein Aspekt seines Versagens und seiner Schuld.

4 Sprache

Alltagssprache

Durchgehend kann man im Roman eine Tendenz zur Verkür-
zung der Syntax feststellen – es fehlt oftmals das ist-Prädikat im
Hauptsatz, die Gliedsätze sind häufig elliptisch. Auf diese Weise
erhält der Text den **Charakter typischer Tagebuchaufzeichnungen**, die von dem fiktiven Schreiber Faber aus gesehen Notizen sind, die er nur für sich selbst macht und die nicht für die
Öffentlichkeit bestimmt sind.

Walter Fabers Sprache ist in der Regel so banal und **stereotyp**
wie die gesprochene Sprache. Während eine poetische Sprache
den Zweck verfolgt, Entdeckungen zu machen, die Welt neu zu
sehen und dem Leser diese Sicht zu vermitteln, legt Faber es mit
seiner Sprache darauf an, deutlich zu machen, dass er alles kennt
und dass für ihn alles erklärbar ist. So schreibt er, unmittelbar
nachdem er über seinen Ohnmachtsanfall, ein eigentlich verstörendes Erlebnis, berichtet hat: „Ich rutschte mich auf einen Ho-
cker, zündete mir eine Zigarette an, schaute zu, wie der Barmann
die übliche Olive ins kalte Glas wirft, dann aufgießt, die übliche
Geste [...]" (S. 13); und wenig später heißt es: „Start wie üb-
lich –" (S. 15).

Läuft etwas nicht reibungslos ab, so wird jedoch Faber schnell
„nervös": „[...] und was mich nervös machte, war lediglich diese
idiotische Information" (S. 19). Er verfällt besonders in solchen
Momenten in eine **schnoddrige Redeweise**, die übrigens auch
seiner Tochter auffällt: „Noch immer fand sie mich zynisch,
glaube ich, sogar schnoddrig (nicht ihr gegenüber, aber gegenüber dem Leben ganz allgemein) und ironisch, was sie nicht ver-
trug [...]" (S. 117). Diese Redeweise soll offenbar anzeigen, dass
er sich nicht beeindrucken lässt. Über die Notlandung notiert er:
„Wir hatten ein Affenschwein, kann ich nur sagen" (S. 22).

An anderen Stellen dienen solche Ausdrücke wohl einfach dem Zweck, **Lässigkeit zu demonstrieren**. Die „Huevos à la mexicana" (Eier auf mexikanische Art), die Herbert Hencke und Faber im Hotel in Palenque bekommen, bezeichnet er als „sauscharf" (S. 42). Herbert ist „von der fixen Idee besessen, es müßte irgendwo in diesem Hühnerdorf [...] irgendeinen Jeep geben" (S. 43). Über die Schiffsreise heißt es: „In der Bar, die ich zufällig entdeckte, war kein Knochen." (S. 77) Fabers Erzählsprache nähert sich in solchen Stellen der Jugendsprache: Sie verwendet nicht dieselben – sich ständig wandelnden – Ausdrücke, erfüllt aber eine ähnliche Funktion.

Diese **Sprache charakterisiert den Erzähler**, der zugleich die Hauptfigur des Romans ist. So gesehen ist ihre Verwendung als bewusstes Kunstmittel gut begründet. Dennoch betrachtete Max Frisch sie auch als Risiko für das Gelingen seines Romans als sprachliches Kunstwerk. Als er seinem Verleger Peter Suhrkamp im Frühjahr 1957 seinen Entschluss mitteilte, den Roman in der kurz davor abgeschlossenen ersten Fassung wieder zurückzuziehen und noch einmal gründlich zu überarbeiten, begründete er das unter anderem mit dem Hinweis: „Zu vieles darin ist tot, am Stil des Technikers gestorben" (Brief vom 21. April 1957, nach: WS S. 255). Der **Stil des Technikers**, der jede ungewohnte Sehweise als „weibisch" oder „hysterisch" ablehnt (vgl. S. 26), unterdrückt, worauf es Literatur ankommt: nicht nur das sattsam Bekannte zu reproduzieren, sondern neue Erfahrungen zu vermitteln. Dieser Aspekt geht jedoch in *Homo faber* nicht verloren. Vielmehr wird er auf der Ebene der Handlung, der inhaltlichen Aussage des Textes wieder aufgenommen: Er wird zu einem Hauptthema des Romans, insofern gezeigt wird, wie Fabers verächtliche Haltung gegenüber einer poetischen Sprache zu einer eindimensionalen und damit letztlich verzerrten Wahrnehmung der Wirklichkeit führt. Erst ganz zuletzt öffnet sich Faber dieser Einsicht (vgl. *Interpretationshilfe,* S. 93 ff.)

‚Originalsprache'

Bezeichnend ist Fabers Tendenz, Anglizismen zu verwenden: So geht er in die Bar, „um einen Drink zu haben" (S. 11). Diese Neigung zu Anglizismen ist insofern nicht sonderlich verwunderlich, als Faber ja in den USA lebt und auch durch seinen Beruf viel **Englisch** spricht, weil das Englische eben (schon in den Fünfzigerjahren des vergangenen Jahrhunderts) international die wichtigste Verkehrssprache ist. Man kann aber auch vermuten, dass auf diese Weise deutlich werden soll, dass Faber in keiner Sprache mehr vollkommen zu Hause ist. Da Sprache das wichtigste Medium der Selbsterkenntnis ist, könnte dies als Hinweis darauf verstanden werden, dass Faber die Voraussetzungen zu solcher Selbsterkenntnis fehlen.

Auch der Gebrauch der Originalsprache spielt immer wieder eine Rolle: So bezeichnet Faber den Müllschlucker als „incinerator" (S. 63) und sieht sich einen Boxkampf „in Television" an (S. 69). Die Weltläufigkeit Fabers – deren Kehrseite seine Heimatlosigkeit ist – zeigt sich auch darin, dass er viele fremdsprachliche Äußerungen in der Originalsprache anführt (vgl. S. 11–14, 56 oder 59).

Satzbau

Auffallend für den Satzbau in *Homo faber* ist, dass Attribute häufig nachgetragen werden: „Abende lang hockten sie in ihren weißen Strohhüten auf der Erde, reglos wie Pilze, zufrieden ohne Licht, still." (S. 41) „Es war schwüler als je, moosig und moderig" (S. 45). „Sie trägt eine Brille, schwarz, Hornbrille." (S. 136)

Diese Eigenart kann als Ausdruck einer **flüchtigen Erzählweise** gedeutet werden – der Ich-Erzähler denkt nicht über den ganzen Satz nach, bevor er zu schreiben beginnt, und er macht sich nicht die Mühe, seine Sätze nachträglich zu verbessern. **Zugleich** lässt dieser Satzbau aber auch die **Bemühung um Präzision** erkennen.

Gestörte Kommunikation

Die Dialoge in *Homo faber* weisen regelmäßig Merkmale gestörter Kommunikation auf. Nach eigener Aussage lebt Faber am liebsten allein. Schon auf der ersten Seite seines Berichts notiert er: „Ich war froh, allein zu sein", nachdem Ivy zuvor drei Stunden auf ihn „eingeschwatzt" hat (S. 7).

Faber spielt gern Schach, „weil man Stunden lang nichts zu reden braucht. Man braucht nicht einmal zu hören, wenn der andere redet." (S. 25) Die Konzentration auf das Spiel hemmt jede fortlaufende Unterhaltung, sodass beide Partner **aneinander vorbeireden**: „‚Lebt sie eigentlich noch?' / ‚Wer?' fragte er. / ‚Hanna – seine Frau.' / ‚Ach so', sagte er und überlegte, wie er meine Gambit-Eröffnung abwehren solle" (S. 34).

In Italien liest Elisabeth aus dem Baedeker Informationen über die Via Appia vor. Faber **hört kaum zu** und fragt nach dem Namen ihrer Mutter. Elisabeths Reaktion bleibt aus; sie liest ihren Baedeker-Text unbeirrt weiter: „Einmal meine Frage: / ‚Wie heißt eigentlich deine Mama mit Vornamen?' / Sie ließ sich nicht unterbrechen." (S. 126)

In beiden Situationen denkt Faber an Hanna. Dabei will er vermeiden, dass sein Gesprächspartner beziehungsweise seine Gesprächspartnerin merkt, wie wichtig das Gesprächsthema für ihn ist. Weil er **nicht offen** sagt, was er denkt und worum es ihm geht, hört man ihm nicht zu.

An anderen Stellen des Romans wird **Gesprächen ausgewichen**. Dies ist besonders zwischen Hanna und Faber zu beobachten: „Ich werde diesen Blick nie vergessen. / Ihrerseits kein Wort – / Ich redete neuerdings, weil Schweigen unmöglich, über Mortalität bei Schlangenbiß, beziehungsweise über Statistik im allgemeinen. / Hanna wie taub." (S. 152 f.). „Hanna immer hin und her, ein Gespräch nicht möglich" (S. 166). In diesen Fällen ist es Faber, der sprechen möchte, aber Hanna verweigert sich einem Gespräch, weil sie Faber für „stockblind" hält (S. 156) und Männer im Allgemeinen für „borniert" (S. 151). Auch ist sie selbst recht eigensinnig (vgl. etwa S. 52). Zudem möchte sie Faber von ihrer Tochter fern halten. Faber seinerseits stellt fest, dass er Hanna nicht verstehe (S. 209). Es gibt vieles, was er über sie, aber beispielsweise auch über seine eigenen Eltern nicht weiß (vgl. S. 199 f.; vgl. dazu S. 49). Schon der Umstand, dass Faber und Hanna nach der geplatzten Hochzeit im Jahr 1936 über zwanzig Jahre lang nichts mehr voneinander gehört haben (S. 61), ist ebenso befremdend wie offenbar für beide charakteristisch.

Zynismus und Spott

Unter Zynismus versteht man eine Haltung, die allgemein akzeptierte Überzeugungen, Werte und Normen radikal in Frage stellt und diese in verächtlich machender Weise kommentiert.

Elisabeth empfindet Fabers Sprache als zynisch (vgl. S. 99, 117, 123). Faber äußert sich in der Tat zynisch in seinem „Bericht", der demnach auch in dieser Hinsicht keineswegs so neutral ist, wie ein Bericht gattungsgemäß sein soll. Zynisch wird Faber immer dann, wenn er auf **Unbekanntes und Ungewohntes** trifft. Menschen, die anders leben als er, sind häufig Gegenstand seines Spotts. So nennt er die Musik der Mayas „epileptisch" (S. 48; ebenso übrigens das glückliche Lächeln seiner ihm im Grunde fremden Geliebten Ivy, vgl. S. 101).

Auch über den Künstler Marcel macht er sich mit Vorliebe lustig: „unser Ruinenfreund schwatzte viel, [...] wie alle Künstler, die sich für höhere oder tiefere Wesen halten, bloß weil sie nicht wissen, was Elektrizität ist" (S. 42). Häufig sind ferner Frauen Zielscheibe von Fabers zynischem Spott. Über Elisabeths Mutter (Hanna) bemerkt er, sie habe offenbar „Pech gehabt mit den Männern [...], vielleicht weil zu intellektuell" (S. 122).

Selbst Gott bleibt von diesem Zynismus nicht verschont, wie Fabers Plädoyer für die Abtreibung (S. 113–116) zeigt: „Der liebe Gott! Er machte es mit Seuchen; wir haben ihm die Seuchen aus der Hand genommen. Folge davon: wir müssen ihm auch die Fortpflanzung aus der Hand nehmen." (S. 115)

Walter Faber **versucht** durch seinen Zynismus **emotionale Betroffenheit zu verdecken.** Zynisch kommentiert er, wodurch er sich insgeheim bedroht fühlt. Das zeigen besonders auch seine heftig ablehnenden Kommentare über die Natur während der Fahrt durch den Dschungel: „überhaupt diese Fortpflanzerei überall, es stinkt nach Fruchtbarkeit, nach blühender Verwesung" (S. 55). **Sexualität, Tod und Natur** entziehen sich gleichermaßen Fabers Kontrolle: Er schläft zwei Mal mit Ivy, obwohl er sich das Gegenteil vorgenommen hat (S. 66 und 71). Er fühlt, dass er schwer krank ist und nichts dagegen tun kann. Dieses Gefühl macht ihn hilflos. Deshalb verdrängt er seine Krankheit (vgl. etwa S. 107 und 178 f.). Und er fühlt, dass er Teil des natürlichen Kreislaufs von Werden und Vergehen ist. Das macht ihm Angst, die er durch seine Vorliebe für Maschinen (vgl. etwa S. 93) kompensiert. Sein Ideal ist der glatte Stahl (S. 100). Er merkt nicht, dass das ein unmenschliches Ideal ist.

Noch in dem Metaphern-Spiel, das er in ihrer letzten gemeinsamen Nacht mit seiner Tochter spielt, hat er offenkundigen Spaß daran, möglichst unsinnliche, gewissermaßen zynische Vergleiche zu wählen: „In der Ferne das Meer: Wie Zinkblech, finde ich [...] Die Luft um diese Stunde: Wie Herbstzeitlosen! Ich finde: Wie Cellophan mit nichts dahinter." (S. 164)

Selbst während der Kuba-Episode, als Faber sich innerlich zu wandeln beginnt, hält diese fast tic-hafte Angewohnheit an, die Natur – in Abgrenzung zur naiven und konventionellen Begeisterung ‚gewöhnlicher' Naturfreunde – zynisch herabzusetzen: „die schwefelgrüne Palme im Sturm, Wolken, violett mit der bläulichen Schweißbrenner-Glut, das Meer, das flatternde Wellblech [...]" (S. 190). Immerhin findet Faber auf diese Weise doch zu einer poetischen Sprache, zu einer nicht konventionellen Sehweise. Dass er seinen Enthusiasmus, der ihn schließlich aufleben lässt, vorwiegend aus der **Freude am Negativen** bezieht, ist ein Zug, den er mit vielen Dichtern seiner Zeit teilt. Am Ende zählt das Ergebnis: Faber singt. „[...] der Hall von diesem flatternden Wellblech, meine kindliche Freude daran, meine Wollust – ich singe." (S. 190)

5 Interpretation von Schlüsselstellen

Walter Faber repariert seinen Rasierapparat
(Seite 67, Zeile 31 bis Seite 68, Zeile 30)

Die kurze Szene ist Teil des New Yorker Zwischenspiels: Faber will sich von seiner jungen Geliebten Ivy trennen, was er ihr bereits in einem Brief geschrieben hat, den sie ignoriert hat. Im Gegenzug beschließt Faber, seinen Aufenthalt in New York zwischen zwei Dienstreisen so stark wie möglich zu verkürzen. Er findet die Lösung, nicht wie vorgesehen mit dem Flugzeug nach Paris zu fliegen, sondern mit dem Schiff nach Europa zu reisen (S. 64). Ivy ist zunächst „sprachlos", was Faber mit Genugtuung zur Kenntnis nimmt. Dann jedoch zeigt sie Verständnis. Sie glaubt, Faber leide seit der Notlandung unter Flugangst. Faber, der „nicht gemein sein" will, lässt sie in diesem Glauben (S. 65).

In dieser gegenseitigen versöhnlichen Stimmung passiert genau das, was Faber vermeiden wollte: Sie schlafen noch einmal miteinander (S. 66). Hinterher hasst Faber sich selbst und hasst Ivy und sagt ihr das auch. Sie nimmt das nicht ernst (S. 67). Um aus dem Apartment herauszukommen, um zu erreichen, dass Ivy sich wenigstens wieder anzieht, geht Faber auf ihren Vorschlag ein, ins Kino zu gehen. Er sammelt ihre Sachen auf, „damit Ivy noch einmal ihre endlose Toilette machen konnte." (S. 67)

Wer schließlich auf den anderen wartet, ist jedoch nicht Faber, sondern Ivy. Faber hat plötzlich das für ihn charakteristische „Bedürfnis, mich zu rasieren, nicht weil ich's nötig hatte, sondern einfach so" (S. 67). Schon auf der vierten Seite seines Berichts hatte er als Parenthese (zwischen zwei Gedankenstrichen) darauf hingewiesen: „ich vertrage es nicht, unrasiert zu sein" (S. 10). Während des Zwangsaufenthaltes in der Wüste Tamaulipas nach der Notlandung bereitet ihm vor allem die fehlende Möglichkeit, sich zu rasieren, Unbehagen. An dieser Stelle des Berichts liefert er auch eine Erklärung für dieses Bedürfnis, jederzeit glatt rasiert zu sein: „Ich fühle mich nicht wohl, wenn unrasiert; nicht wegen der Leute, sondern meinetwegen. Ich habe dann das Gefühl, ich werde etwas wie eine Pflanze" (S. 29). Fabers **Aversion gegen das** allzu üppige Vegetative, gegen das **unkontrolliert Wuchernde**, wird später auf der Fahrt durch den mittelamerikanischen Dschungel, die er mit Herbert Hencke und Marcel unternimmt, sehr deutlich (S. 52–58).

Ohne **funktionierende Technik** wird Faber nervös, was bereits der Aufenthalt in der Wüste zeigt: „das war es ja, was mich nervös machte: daß es in der Wüste keinen Strom gibt, kein Telefon, keinen Stecker, nichts." (S. 29) „Langsam hatte man Bärte. / Ich sehnte mich nach elektrischem Strom – " (S. 33)

Am Ende des Romans, als Faber Herbert Hencke auf der Plantage besucht, ist das Erste, was Faber an Herbert auffällt, dessen Bart: „Herbert war verändert, man sah es auf den ersten Blick, Herbert mit einem Bart, aber auch sonst – " (S. 180) Der nicht eingedämmte Bartwuchs steht, wenigstens für Faber, zeichenhaft für Herberts Selbstaufgabe als tätiger Mensch, der die Dinge im Griff hat. „Sein Grinsen im Bart. / Wir verstanden uns überhaupt nicht." (S. 181) Faber ist entschlossen, sich nicht so gehen zu lassen: „Sein Grinsen, als er sieht, wie ich mich mit einer alten Klinge rasiere, weil es hier keinen Strom gibt und weil ich keinen Bart will, weil ich ja weiter muß – " (S. 181)

Dass Faber in seinem New Yorker Apartment, während Ivy sich ankleidet, den Wunsch verspürt, sich zu rasieren, auch wenn er es nach seinem eigenen Empfinden gar nicht nötig hat, deutet auf eine gewisse Zwanghaftigkeit seiner Sorge, sich in eine Pflanze zu verwandeln. Ivy findet ihn „tiptop" (S. 67) und er selbst kommentiert: „Natürlich war ich tiptop" (S. 68). Was ihn veranlasst, Ivy dennoch auf ihn warten zu lassen, ist der Umstand, dass sein Apparat nicht funktioniert, was er wiederum keinen Augenblick auf sich beruhen lassen kann. Er hat im Badezimmer noch einen Ersatzapparat, setzt sich jedoch in den Kopf, dem technischen Fehler auf den Grund zu gehen: „Jeder Apparat kann einmal versagen; es macht mich nur nervös, solange ich nicht weiß, warum." Auch Ivys spöttischer Stoßseufzer „Technology!" bringt Faber nicht davon ab, „das Apparätchen vollkommen zu zerlegen; ich wollte wissen, was los ist." (S. 68)

Sicherlich wird bei dieser Reaktion auch eine Rolle spielen, dass Faber es genießt, Ivy zu reizen, auf die er ja wütend ist. Zugleich fällt er aber mit diesem Verhalten aus der männlichen Rolle, die ihm doch so viel bedeutet. Statt dass der Mann mit nachsichtiger Herablassung darauf wartet, dass die Frau endlich fertig wird, wartet Ivy mit ,typisch männlicher' spöttischer Nachsicht auf Faber, ohne dabei auch nur den Versuch zu machen, Verständnis für sein irrationales Verhalten aufzubringen.

Die Situation ist insofern ironisch – oder wenn man will: tragisch –, als Fabers **eigensinniges Verhalten** letztlich dazu führt, dass er seiner Tochter begegnet, mit all den unglückseligen Folgen, die diese Begegnung nach sich zieht. Hätte Faber nicht darauf bestanden, den Apparat auf der Stelle zu reparieren, hätte ihn nicht mehr der Anruf erreicht, ohne den er keinen Platz mehr auf dem gleichen Schiff, das auch seine Tochter benutzen wird, bekommen hätte. Faber erkennt selbst diesen verhängnisvollen Zusammenhang. Er wertet das Ganze als einen **Zufall**: „Es war wieder ein purer Zufall, was die Zukunft entschied, nichts weiter, ein Nylon-Faden in dem kleinen Apparat" (S. 68). Sicherlich ist es ein Zufall, dass der Anruf ihn gerade deshalb noch erreicht, weil er sich nicht davon hat abbringen lassen, dem

Defekt sofort auf den Grund zu gehen. Sein Verhalten, das diesen Zufall erst ermöglichte, hat jedoch wenig mit Zufall zu tun. Es ist ein wenig zwanghaft, jedenfalls recht kindisch und irrational, und zeigt, dass Faber gar nicht so beherrscht und vernünftig ist, wie er denkt. Fabers Reparatur seines Rasierapparats kostet in letzter Konsequenz seiner Tochter das Leben.

Walter Faber schaut und genießt
(Seite 196, Zeile 14 bis Seite 197, Zeile 16)

Walter Faber fliegt von Caracas aus nach Europa. Er wählt einen Flug mit einer mehrtägigen Zwischenstation in Kuba, um einen Zwischenstopp in New York zu vermeiden. Seine New Yorker Existenz möchte er hinter sich lassen. Als er nach dem Tod seiner Tochter dort Station gemacht hat, hatte er ein Gefühl vollkommener Fremdheit: „Wenn man nicht mehr da ist, wird niemand es bemerken. Ich war schon nicht mehr da." (S. 177) Er kam nicht mehr in sein Apartment – das aufzugeben er allerdings schon zuvor entschlossen gewesen war (vgl. S. 67) – und unter seiner Telefonnummer meldete sich eine fremde Stimme.

In Kuba genießt er das dortige Leben, das er als sehr intensiv empfindet. Er bewundert und beneidet die Einheimischen und versucht, sich auf ihren Lebensrhythmus einzulassen. Er nimmt alles, was er sieht, so intensiv in sich auf, als wolle er alles nachholen, was er bisher in seinem Leben versäumt hat.

In dem Textauszug beschreibt er seine Eindrücke während seiner letzten Nacht auf Kuba. Diese letzte Nacht vor dem Weiterflug ist für ihn so kostbar, dass er ausruft: „Keine Zeit auf Erden, um zu schlafen!" (S. 196) Faber will nur schauen und genießen. Er hat nichts zu tun und fühlt sich dennoch ausgefüllt und zufrieden. Das beweist, wie sehr Faber sich **gewandelt** hat. Noch über die wenige Wochen zurückliegende Schiffsreise hatte er in seinem Bericht („Erste Station", S. 7) notiert: „Ich bin nicht gewohnt, untätig zu sein." (S. 79) „Ich bin gewohnt zu arbeiten oder meinen Wagen zu steuern, es ist keine Erholung für mich, wenn nichts läuft, und alles Ungewohnte macht mich sowieso nervös." (S. 81 f.) Nun, in den Aufzeichnungen der „Zweite[n] Station" (S. 175), zeigt sich, dass Faber gelernt hat, Muße als Freude zu empfinden und das Ungewohnte, statt sich dadurch irritieren zu lassen, als Bereicherung.

Bezeichnend ist auch, dass Faber nun **keine Filmaufnahmen mehr** macht. Als er beschreibt, wie er Abschied von Kuba nimmt, begründet er das folgendermaßen: „ich filme nichts mehr. Wozu! Hanna hat recht: nachher muß man es sich als Film ansehen, wenn es nicht mehr da ist, und es vergeht ja doch alles – " (S. 198). Diese Begründung hebt eher resignativ die Einsicht hervor, dass es eine Illusion ist, etwas Lebendiges durch das technische Hilfsmittel des Films gegenwärtig halten zu können. Wer filmt, versäumt die Gegenwart, weil er sie für die Zukunft festhalten möchte. Die Beschreibung des letzten Abends auf Kuba zeigt, dass Faber nun gelernt hat, **den gegenwärtigen Moment** zu **genießen**: „Ich hatte keinen besonderen Anlaß, glücklich zu sein, ich war es aber. Ich wußte, daß ich alles, was ich sehe, verlassen werde, aber nicht vergessen." (S. 196) Die einzige Möglichkeit, etwas zu bewahren, besteht darin, etwas so intensiv zu erleben, dass es in einem selbst (und nicht auf einem Film) weiterlebt.

Dass dies für Faber eine wichtige Entdeckung ist, wird auch daran deutlich, dass er in den beiden eben zitierten kurzen Sätzen fünf Mal das Personalpronomen „ich" verwendet. Auch früher schon hat Faber viele Sätze mit „ich" gebildet. Dabei ging es jedoch darum, sein gefährdetes Selbstbild zu behaupten. Nun drückt sich im „ich" Fabers freudige Entdeckung aus, anders und lebendiger (geworden) zu sein, als er immer geglaubt hat.

Das neue „Ich" ist nicht ausschließlich auf sich selbst bezogen, sondern sozusagen der Resonanzraum der Umwelt. Das zeigen die anschließenden Sätze, in denen das „ich" in eine Wechselbeziehung zur Außenwelt gerät. Es lässt sich von der Umwelt

inspirieren, diese auf intensive und fantasievolle Weise wahrzunehmen und daraus ein starkes Wohlgefühl zu ziehen. Faber
verwendet immer wieder Vergleiche: „die grüne Palme ist bieg-
sam wie eine Gerte, in ihren Blättern tönt es wie Messerwetzen";
„darüber zischt es wie eine Espresso-Maschine" (S. 196). Auch
erfindet er Metaphern wie „Backofenluft" oder „Himbeer-Licht"
(S. 197). Lebendig wird die Natur durch Personifikationen: „die
Gußeisen-Laterne, die zu flöten beginnt" (S. 196). Die bildhafte
Sprache, die Faber hier gebraucht, erinnert daran, wie er früher
im Wettbewerb mit Elisabeth poetische Vergleiche gesucht hat
(vgl. S. 163–165).

Die neue **poetische und sinnliche Qualität von Fabers
Sprache** kommt auch in der Verwendung von Alliterationen
zum Ausdruck: „das Wellblech irgendwo, [...] meine Wollust,
Wind, nichts als Wind, der die Palmen schüttelt, Wind ohne
Wolken, ich schaukle und schwitze" (S. 196). Die letzten sieben
Wörter dieses Zitats weisen sogar ein regelmäßiges Metrum auf,
einen schaukelnden Daktylus. Fabers innerer Frieden wird durch
eine Alliteration auf den Laut „sch" instrumentiert: „ich schaukle und schaue"; „ich schaukle und schwitze"; „ich schaukle und
singe. Stundenlang." (S. 196 f.) Die Synästhesie „weißes Geläch-
ter im Staub" (S. 197) beweist, dass sich Faber nicht nur mit allen
Sinnen der neuen Erfahrung öffnet, sondern dass er dies nun
auch sprachlich zum Ausdruck zu bringen vermag.

Auffällig sind auch die Verben der Bewegung, wobei es sich
nicht um zweckgebundene Vorwärtsbewegung handelt: So ist
von den „fliegenden Röcken" der Mädchen die Rede, von ihrem
Haar, „das ebenfalls fliegt", von einer grünen Jalousie, „die sich
losgerissen hat" und die „über das Pflaster rutscht [...], hinaus
zum Meer"; oder auch von einem „Wirbel von Blüten" (S. 197).

Faber selbst gerät in eine schaukelnde Bewegung. Auch erwähnt er immer wieder, dass er singt, (so wie seine Tochter ge-
sungen hat und auch der Musiker Marcel), auch wenn er meint,

er könne nicht singen. Singen ist ein Symbol für das Leben. Der Sänger der griechischen Sage, Orpheus, konnte durch seinen Gesang Hades dazu bewegen, seine Gemahlin Eurydike aus dem Reich des Todes zu befreien.

Seine Tochter kann Faber durch seinen Gesang nicht wieder zum Leben erwecken. Aber er kann damit zum Ausdruck bringen, dass er von ihr gelernt hat, im Einklang mit sich selbst zu sein. Dass dieser Moment des Einklangs im Zeichen des nahen Todes steht, darauf könnte Fabers Bemerkung deuten, dass er nur einen einzigen Scotch trinkt, denn „ich vertrage nichts mehr" (S. 197). Auch steht das Meer seit alters her sinnbildlich für Unendlichkeit und Tod. Faber notiert: „das unsichtbare Meer spritzt über die Mauern" (S. 196). Der Tod kommt, ihn zu holen. Fabers Zeit ist bald abgelaufen.

Zur Wirkungsgeschichte des Romans

Homo faber erschien im Herbst 1957. Der Roman war gleich ein großer Erfolg. Noch im gleichen Jahr wurden drei Auflagen gedruckt. Im Juli 1958 erreichte *Homo faber* das 23. Tausend. Vier Jahre später erschien innerhalb der Reihe *Bibliothek Suhrkamp* das 100 000. Exemplar. Ab 1969 wurde der Roman als **moderner Klassiker** in die Lehrpläne der Schulen aufgenommen und ist bis heute eine beliebte Schullektüre geblieben. 1977 kam *Homo faber* als Taschenbuch heraus. Mittlerweile hat sich der Roman allein in der deutschen Originalausgabe über vier Millionen Mal verkauft. Hinzu kommen die fremdsprachigen Ausgaben des Buches, das bislang in 25 Sprachen übersetzt worden ist.

Im deutschsprachigen Raum konnten über 200 Rezensionen des Romans nachgewiesen werden. Etwa die Hälfte dieser Kritiken geht ausführlicher auf das Buch ein. Die Mehrzahl ist positiv. Es gab jedoch auch bemerkenswert viele kritische Stimmen, die vorwiegend an der Hauptfigur, dem Ich-Erzähler, Anstoß nahmen. So schrieb der seinerzeit sehr prominente Literaturkritiker Friedrich Sieburg:

> *Die große Schwierigkeit des ‚narrateur' [des Erzählers] ist hier nicht gelöst; die von Frisch geschaffene Figur spricht einmal zu gut und dann wieder zu schlecht, verrät eine Sensibilität, die ihr nicht zukommt, und legt einige Seiten später einen kaltschnäuzigen Pragmatismus an den Tag, den man ihr nicht glaubt. Man versteht wohl, was der Autor will. Er will, dass dem nur an Tatsachen und Geräte glaubenden Menschen in seiner Gottähnlichkeit bange werde, ja dass das Schicksal selbst diese tödliche Belehrung vornehme. Das Unglück ist nur, dass wir diese Verwandlung nicht mehr erleben.* (Nach: WS, S. 265)

Solche Einwände, die ähnlich beispielsweise auch Walter Jens formulierte (vgl. ebenda, S. 264), sind nicht ganz von der Hand zu weisen, auch wenn sie übersehen, dass Max Frisch seinen Erzähler als eine von Anfang an und bis zuletzt gebrochene Figur angelegt hat, von der keine ganz geradlinige Entwicklung zu erwarten ist, was die Figur insgesamt interessanter macht.

Ein womöglich noch größeres Publikum als der Roman selbst erreichte der **Kinofilm**, den Volker Schlöndorff, ein Spezialist für Literaturverfilmungen (unter anderem: *Die Blechtrommel* nach dem Roman von Günter Grass und *Die verlorene Ehre der Katharina Blum* nach dem Roman von Heinrich Böll), 1991 kurz vor Max Frischs Tod fertig stellte. Die Hauptrolle spielte der damals gut 50 Jahre alte amerikanische Schauspieler und Schriftsteller Sam Shepard. Als Elisabeth war die 20-jährige französische Schauspielerin Julie Delpy zu sehen, Barbara Sukowa spielte die Hanna. Der Film beginnt – in schwarzweißen Bildern – mit dem Moment, als Faber nach dem Tod Elisabeths von Hanna Abschied nimmt. Im Anschluss daran wird die Haupthandlung weitgehend chronologisch – und in Farbe – als Rückblende erzählt.

Freilich verkürzt der Film die Aussage des Romans. Die Liebesgeschichte zwischen Vater und Tochter tritt in den Vordergrund. So ersetzt der Film – was für jede Literaturverfilmung gilt – nicht die Lektüre des Buchs, erzählt dessen Geschichte jedoch in einer Fassung, die neben dem ‚Original‘ künstlerisch Bestand hat, auch wenn beispielsweise der *Fischer Film Almanach 1992* kritisch anmerkt, dass „Buch und Regie [...] Kühnheit vermissen" lassen würden (Frankfurt a. M.: Fischer Taschenbuch Verlag 1992, S. 170).

Homo faber wurde mehrfach mit großem Erfolg für die **Bühne** adaptiert (z. B. Schauspielhaus Zürich 2004, Bielefelder Theaterlabor 2006, Altes Schauspielhaus Stuttgart 2007, Maxim-Gorki-Theater Berlin 2008, Salzburger Landestheater 2009).

Literaturhinweise

Primärliteratur

MAX FRISCH: *Homo faber. Ein Bericht.* Mit einem Kommentar
von Walter Schmitz. Frankfurt am Main: Suhrkamp Verlag 1998
(Suhrkamp BasisBibliothek 3).
　Nach dieser Ausgabe wird in der *Interpretationshilfe* zitiert.
　Der Text des Romans wird durch einfache Nennung der Sei-
tenzahl nachgewiesen, der Kommentarteil durch das voran-
gestellte Kürzel: WS.

MAX FRISCH: *Gesammelte Werke in zeitlicher Folge. Jubiläumsaus-
gabe in sieben Bänden.* Herausgegeben von Hans Mayer unter
Mitwirkung von Walter Schmitz. Frankfurt am Main: Suhrkamp
Verlag 1986 (zitiert als: GW).

Sekundärliteratur

HAGE, VOLKER: *Max Frisch.* Reinbek bei Hamburg: Rowohlt
Taschenbuch Verlag 1983 und 1990 (rowohlts monographien
Band 321) (zitiert als: VH).

MÜLLER-SALGET, KLAUS: *Max Frisch. Homo faber.* Stuttgart:
Reclam 1987 (Erläuterungen und Dokumente. RUB 8179).

SCHMITZ, WALTER (Hrsg.) *Frischs Homo faber.* Frankfurt am Main:
Suhrkamp Verlag 1983 (suhrkamp taschenbuch materialien).
　Der Band enthält eine Reihe von informativen Aufsätzen, so
zur Entstehung des Romans (Walter Schmitz), zu dessen Be-
zügen zur griechischen Mythologie (Rhonda L. Blair), zur Auf-
nahme des Buchs durch die Literaturkritik (Reinhold Viehoff)
und zu seiner Wirkungsgeschichte (Walter Schmitz).

Ihre Meinung ist uns wichtig!

Ihre Anregungen sind uns immer willkommen. Bitte informieren Sie uns mit diesem Schein über Ihre Verbesserungsvorschläge!

Titel-Nr.	Seite	Vorschlag

Bitte hier abtrennen

Lernen • Wissen • Zukunft
STARK

21-V1P

Bitte ausfüllen und im frankierten Umschlag
an uns einsenden. Für Fensterkuverts geeignet.

Zutreffendes bitte ankreuzen! Die Absenderin/der Absender ist:

☐ Lehrer/in in den Klassenstufen:

☐ Fachbetreuer/in
   Fächer:

☐ Seminarlehrer/in
   Fächer:

☐ Regierungsfachberater/in
   Fächer:

☐ Oberstufenbetreuer/in

☐ Schulleiter/in

☐ Referendar/in, Termin 2. Staats-
   examen:

☐ Leiter/in Lehrerbibliothek

☐ Leiter/in Schülerbibliothek

☐ Sekretariat

☐ Eltern

☐ Schüler/in, Klasse:

☐ Sonstiges:

STARK Verlag
Postfach 1852
85318 Freising

Kennen Sie Ihre Kundennummer?
Bitte hier eintragen.

Absender (Bitte in Druckbuchstaben!)

Name/Vorname

Straße/Nr.

PLZ/Ort/Ortsteil

Telefon privat   Geburtsjahr

E-Mail

Schule/Schulstempel (Bitte immer angeben!)

Unterrichtsfächer: (Bei Lehrkräften!)

Bitte hier abtrennen

STARK Interpretationshilfen und Trainingsbände für die Oberstufe

Deutsch Interpretationen

Andersch:
Sansibar oder der letzte Grund .... Best.-Nr. 2400721
Becker: *Bronsteins Kinder* .... Best.-Nr. 2400671
Brecht: *Der aufhaltsame Aufstieg
des Arturo Ui* .... Best.-Nr. 2400281
Brecht: *Leben des Galilei* .... Best.-Nr. 2400011
Brecht:
Mutter Courage und ihre Kinder .... Best.-Nr. 2400521
Brecht: *Der gute Mensch von Sezuan*.... Best.-Nr. 2400751
Brussig:
Am kürzeren Ende der Sonnenallee ..... Best.-Nr. 2400201
Büchner: *Dantons Tod* .... Best.-Nr. 2400121
Büchner: *Der Hessische Landbote* .... Best.-Nr. 2400461
Büchner: *Lenz* .... Best.-Nr. 2400431
Büchner: *Leonce und Lena* .... Best.-Nr. 2400261
Büchner: *Woyzeck* .... Best.-Nr. 2400042
Dürrenmatt:
Der Besuch der alten Dame .... Best.-Nr. 2400341
Dürrenmatt: *Der Verdacht* .... Best.-Nr. 2400571
Dürrenmatt: *Die Physiker* .... Best.-Nr. 2400651
Eichendorff:
Aus dem Leben eines Taugenichts .... Best.-Nr. 2400071
Eichendorff: *Das Marmorbild* .... Best.-Nr. 2400081
Fontane: *Effi Briest* .... Best.-Nr. 2400371
Fontane: *Irrungen, Wirrungen* .... Best.-Nr. 2400401
Fontane: *Frau Jenny Treibel* .... Best.-Nr. 2400611
Frisch:
Biedermann und die Brandstifter .... Best.-Nr. 2400531
Frisch: *Homo faber* .... Best.-Nr. 2400031
Frisch: *Andorra* .... Best.-Nr. 2400131
Goethe: *Faust I* .... Best.-Nr. 2400512
Goethe: *Iphigenie auf Tauris* .... Best.-Nr. 2400361
Goethe: *Die Leiden des jungen Werther* Best.-Nr. 2400051
Gross: *Grafeneck* .... Best.-Nr. 2400761
Hauptmann: *Die Ratten* .... Best.-Nr. 2400411
Hein: *Der fremde Freund/Drachenblut* Best.-Nr. 2400061
Hesse: *Siddhartha* .... Best.-Nr. 2400711
Hoffmann, E.T.A.: *Der Sandmann* .... Best.-Nr. 2400351
Horváth:
Geschichten aus dem Wiener Wald .... Best.-Nr. 2400581
Kafka: *Der Proceß* .... Best.-Nr. 2400481
Kafka: *Die Verwandlung/Das Urteil* ..... Best.-Nr. 2400141
Kehlmann: *Die Vermessung der Welt* ... Best.-Nr. 2400701
Keller: *Romeo und Julia auf dem Dorfe* Best.-Nr. 2400321
Kerner: *Blueprint. Blaupause* .... Best.-Nr. 2400391
Kleist: *Der zerbrochne Krug* .... Best.-Nr. 2400541
Kleist: *Die Marquise von O.* .... Best.-Nr. 2400471
Kleist: *Michael Kohlhaas* .... Best.-Nr. 2400111
Kleist: *Prinz Friedrich von Homburg* ..... Best.-Nr. 2400631
Koeppen: *Tauben im Gras* .... Best.-Nr. 2400641
Kracht: *Faserland* .... Best.-Nr. 2400771
Lessing: *Emilia Galotti* .... Best.-Nr. 2400191

Lessing: *Nathan der Weise* .... Best.-Nr. 2400501
Mann, Th.: *Der Tod in Venedig* .... Best.-Nr. 2400291
Mann, Th.: *Tonio Kröger/
Mario und der Zauberer* .... Best.-Nr. 2400151
Mann, Th.: *Buddenbrooks* .... Best.-Nr. 2400681
Musil: *Die Verwirrungen
des Zöglings Törleß* .... Best.-Nr. 2400561
Schiller: *Don Karlos* .... Best.-Nr. 2400162
Schiller: *Kabale und Liebe* .... Best.-Nr. 2400231
Schiller: *Die Räuber* .... Best.-Nr. 2400421
Schiller: *Maria Stuart* .... Best.-Nr. 2400272
Schlink: *Der Vorleser* .... Best.-Nr. 2400102
Schneider: *Schlafes Bruder* .... Best.-Nr. 2400021
Schnitzler: *Lieutenant Gustl* .... Best.-Nr. 2400661
Schnitzler: *Traumnovelle* .... Best.-Nr. 2400311
Sophokles: *Antigone* .... Best.-Nr. 2400221
Stamm: *Agnes* .... Best.-Nr. 2400691
Storm: *Der Schimmelreiter* .... Best.-Nr. 2400381
Süskind: *Das Parfum* .... Best.-Nr. 2400091
Timm:
Die Entdeckung der Currywurst .... Best.-Nr. 2400301
Vanderbeke: *Das Muschelessen* .... Best.-Nr. 2400331
Wolf: *Kassandra* .... Best.-Nr. 2400601
Wolf: *Medea. Stimmen* .... Best.-Nr. 2400551
Wedekind: *Frühlings Erwachen* .... Best.-Nr. 2400491
Zweig: *Schachnovelle* .... Best.-Nr. 2400441

Deutsch Training

Gedichte analysieren und
interpretieren .... Best.-Nr. 944091
Dramen analysieren u. interpretieren .. Best.-Nr. 944092
Epische Texte analysieren und
interpretieren .... Best.-Nr. 944093
Erörtern und Sachtexte analysieren ..... Best.-Nr. 944094
Abitur-Wissen
Deutsche Literaturgeschichte .... Best.-Nr. 94405
Abitur-Wissen Textinterpretation .... Best.-Nr. 944061
Abitur-Wissen
Erörtern und Sachtexte analysieren ..... Best.-Nr. 944064
Abitur-Wissen
Prüfungswissen Oberstufe .... Best.-Nr. 94400

(Bitte blättern Sie um)

STARK